P9-DDU-249
DATE DUE

Las reputaciones

Juan Gabriel Vásquez

Las reputaciones

ALFAGUARA

ISBN: 978-84-204-1513-0
Depósito legal: M-22.604-2013
Printed in Spain-Impreso en España

Para Justin Webster y Assumpta Ayuso

Con lo cual narices iguales no hacen hombres iguales.

RODOLPHE TÖPFFER, *Essai de la physiognomonie*

I.

Sentado frente al Parque Santander, dejando que le embetunaran los zapatos mientras esperaba la hora del homenaje, Mallarino tuvo de repente la certeza de haber visto a un caricaturista muerto. Tenía el pie izquierdo sobre la huella de madera del cajón y la cintura apoyada en el cojín del respaldo, para que su hernia vieja no comenzara sus reclamos, y había dejado que se le fuera el tiempo leyendo los tabloides locales, cuyo papel barato ensuciaba los dedos y cuyos titulares de grandes letras rojas le hablaban de crímenes sangrientos, de secretos sexuales, de extraterrestres que raptan niños en los barrios del sur. La lectura de la prensa sensacionalista era una suerte de placer culposo: algo que uno sólo se permitía cuando nadie lo estaba mirando. En eso pensaba Mallarino —en las horas que se le habían escapado aquí, entregado a esta perversión bajo las sombrillas de colores tímidos— cuando levantó la cabeza, apartando la mirada de las letras como se hace para recordar mejor, y al encontrarse con los edificios altos, con el cielo siempre gris, con los árboles que rompen el asfalto desde el comienzo de los tiempos, sintió que veía todo por primera vez. Y entonces sucedió.

Fue una fracción de segundo: la figura cruzó la carrera Séptima con su traje oscuro y su corbatín desordenado y su sombrero de ala ancha, y luego dobló la esquina de la iglesia de San Francisco y desapareció para siempre. En el intento por no perderla de vista, Mallarino se inclinó hacia delante y bajó el pie del cajón justo cuando el embolador acercaba el paño embetunado al cuero del zapato, y en su media quedó una mancha oblonga de betún: un ojo negro que lo miraba desde abajo y lo acusaba, igual que los ojos entrecerrados del hombre.

Mallarino, que hasta ahora sólo había visto al embolador desde arriba —los hombros del overol azul constelados de caspa nueva, la coronilla despejada por una calvicie agresiva—, se encontró entonces ante la nariz brotada de venas, las orejas pequeñas y prominentes, el bigote blanco y gris como la mierda de las palomas. «Perdón», le dijo Mallarino, «pensé que había visto a alguien». El hombre volvió a su trabajo, a los roces certeros con que su mano embadurnaba el empeine. «Oiga», añadió, «¿le puedo hacer una pregunta?»

«Diga, jefe.»

«¿Usted ha oído hablar de Ricardo Rendón?»

Le llegó un silencio desde abajo: uno, dos pálpitos.

«No me suena, jefe», dijo el hombre. «Si quiere después preguntamos a los compañeros.»

Los compañeros. Dos o tres de ellos ya comenzaban a empacar sus cosas. Plegaban sillas, doblaban paños y bayetas, metían cepillos de cerdas despeinadas y abolladas latas de betún en sus cajones de madera, y el aire, por debajo del clamor del tráfico vespertino, se llenaba con el picoteo de las chapas que se ajustaban y las tapas de aluminio que se cerraban con firmeza. Eran las cinco menos diez de la tarde: ¿cuándo habían comenzado a tener horarios fijos los emboladores del centro? Mallarino los había dibujado más de una vez, sobre todo en las primeras épocas, cuando venir al centro y dar una vuelta caminando y embolarse los zapatos era una forma de tomarle el pulso a la ciudad eléctrica, de sentir que era testigo directo de sus propios materiales. Todo eso había cambiado: había cambiado Mallarino; habían cambiado los emboladores. Él ya no venía casi nunca a la ciudad, y se había acostumbrado a mirar el mundo a través de las pantallas y las páginas, a dejar que la vida le llegara en lugar de perseguirla hasta sus escondites, como si hubiera comprendido que sus méritos se lo permitían y que ahora, después de tantos años, era la vida la que debía buscarlo a él. Los emboladores, en cuanto a ellos, ya no se hacían dueños de su lugar de trabajo —esos dos metros cuadrados de espacio público— en virtud de un pacto de honor, sino de la pertenencia a un sindicato: el pago de una cuota mensual, la posesión de un carnet bien plastificado que enseñaban a la menor provocación. Sí, la ciudad era otra. Pero no era nostalgia lo que embargaba a Mallarino al constatar los cambios, sino un curioso afán por detener la marcha del caos, como si haciéndolo fuera a detener también su propia entropía interior, la lenta oxidación de sus órganos, la erosión de su memoria reflejada en la memoria erosionada de la ciudad: en el hecho, por ejemplo, de que ya nadie supiera quién era Ricardo Rendón, que acababa de pasar caminando a pesar de llevar setenta y nueve años muerto. El más grande caricaturista político de la historia colombiana había sido devorado, como tantas otras figuras, por el hambre sin fondo del olvido. *También de mí se olvidarán un día*, pensó Mallarino. Mientras bajaba un pie del cajón y subía el otro, y mientras sacudía el periódico para que una página arrugada regresara a la posición debida (un diestro latigazo de las muñecas), Mallarino pensó: *Sí, a mí también me olvidarán*. Pensó: *pero todavía falta mucho para eso*. En ese momento se escuchó decir:

«¿Y Javier Mallarino?»

El embolador tardó un instante en darse cuenta de que la pregunta le estaba dirigida. «¿Jefe?»

«Javier Mallarino. ¿Sabe quién es?»

«El que hace los monos del periódico, sí», dijo el hombre. «Pero ese tipo ya no viene por acá. Se cansó de Bogotá, eso fue lo que me explicaron a mí. Hace rato que vive afuera, en la montaña.»

De manera que aquello todavía se recordaba. No era para sorprenderse: su mudanza a comienzos de los ochenta, cuando no había estallado aún el tiempo del terrorismo y la gente no tenía tantas razones para irse, fue noticia nacional. Esperando a que el embolador dijera algo, una pregunta o una exclamación cualquiera, Mallarino se quedó mirando el claro de piel de la coronilla, ese territorio devastado con algunos pelos irrumpiendo aquí y allá, con manchas que delataban las horas pasadas al sol: potenciales parcelas cancerosas, el lugar por donde comenzaba a extinguirse una vida. Pero el hombre no dijo nada más. No lo había reconocido. En unos minutos Mallarino recibiría la consagración definitiva, el orgasmo correspondiente a un largo coito de cuarenta años con su oficio, y lo haría sin que eso hubiera dejado de resultarle sorprendente: que no lo reconocieran. Sus caricaturas políticas lo habían convertido en lo que era Rendón al comenzar la década de los treinta: una autoridad moral para la mitad del país, el enemigo público número uno para la otra mitad, y para todos un hombre capaz de causar la revocación de una ley, trastornar el fallo de un magistrado, tumbar a un alcalde o amenazar gravemente la estabilidad de un ministerio, y eso con las únicas armas del papel y la tinta china. Y sin embargo en la calle no era nadie, *podía seguir siendo nadie*, pues las caricaturas, al contrario de las columnas de ahora, no llevaban nunca la foto del responsable: para los lectores de la calle era como si ocurrieran solas, libres de toda autoría, como un aguacero, como un accidente.

El que hace los monos. Sí, ese era Mallarino. *El monomaniaco*: así lo había llamado una vez, en la sección de cartas al periódico, un político herido en su amor propio. Ahora sus ojos, siempre cansados, se fijaban en los habitantes del centro: el lotero que descansaba en el muro de piedra, el estudiante que buscaba una buseta caminando hacia el norte y mirando por encima del hombro, la pareja que se detenía en medio de la acera, hombre y mujer, los dos oficinistas, los dos vestidos de azul oscuro y camisa blanca, agarrados de ambas manos pero sin mirarse. Todos ellos reaccionarían a la mención de su nombre —con admiración o repulsa, nunca con indiferencia—, pero ninguno sería capaz de identificar su rostro. Si cometiera un crimen, ninguno podría señalarlo en una fila de sospechosos habituales: sí, estoy seguro, es el número cinco, el barbudo, el delgado, el calvo. Mallarino, para ellos, no tenía señas particulares, y los pocos lectores que lo habían conocido en el curso de los años solían hacer comentarios de extrañeza: no me lo imaginaba calvo, ni delgado, ni barbudo. La suya era una de aquellas calvicies que no llaman la atención sobre sí mismas; cuando volvía a encontrarse con alguien que sólo había visto una vez, Mallarino recibía con frecuencia los mismos comentarios de desconcierto: «¿Usted siempre ha sido así?», o también: «Qué raro. No me fijé cuando nos conocimos». Tal vez era su expresión, que devoraba la atención de la gente como devora la luz un hoyo negro: sus ojos de párpados caídos que se asomaban tras las gafas con una suerte de tristeza permanente, o esa barba que le escondía la cara como el pañuelo de un forajido. La barba fue negra una vez; ahora seguía siendo abundante, pero se había agrisado: un poco más en el mentón y bajo las patillas, un poco menos en los lados de la cara. No importaba: lo seguía escondiendo. Y Mallarino seguía siendo irreconocible, un ser anónimo en las calles populosas. Ese anonimato le causaba un placer pueril (un niño escondiéndose en habitaciones prohibidas), y a Magdalena, su mujer en tiempos ya lejanos, la tranquilizaba. «En este país matan a la gente por menos», le decía ella cuando de sus imágenes salía mal parado un militar o un narcotraficante. «Mejor que nadie sepa quién eres, cómo eres. Mejor que puedas ir a comprar leche y yo no me preocupe si te demoras.»

Barrió con la mirada el universo atardecido del Parque Santander. Le bastó un instante para encontrar a tres personas leyendo el periódico, su periódico, y pensó que las tres pasarían en breve o ya habían pasado los ojos por su nombre en letras de imprenta y luego por su firma, esa mayúscula bien dibujada que se transformaba enseguida en un desorden de curvas y acababa desintegrándose en una esquina, triste estela de un avión que se cae. Todos conocían el espacio donde había estado siempre su caricatura: en el centro justo de la primera página de opinión, ese lugar mítico adonde van los colombianos para odiar a sus hombres públicos o para saber por qué los aman, ese gran diván colectivo de un país largamente enfermo. Era lo primero que veían los ojos al llegar a esas páginas. El recuadro negro, los trazos delgados, la línea de texto o el breve diálogo debajo del marco: la escena que cada día salía de su mesa de trabajo y era elogiada, admirada, comentada, malinterpretada, repudiada, en una columna del mismo periódico o de otro, en la carta airada de un airado lector, en un debate cualquiera de cualquier emisora matutina. Era un poder terrible, sí. Hubo un tiempo en que Mallarino lo deseó más que nada en el mundo; trabajó duro para obtenerlo; lo disfrutó y lo explotó a conciencia. Y ahora, a sus sesenta y cinco años, la misma clase política que tanto había atacado y acosado y despreciado desde su trinchera, de la cual se había burlado sin miramientos ni respeto por lazos de amistad o de familia (y bastantes amigos había perdido por hacerlo, e incluso unos cuantos familiares), esa misma clase política había decidido poner la gigantesca maquinaria colombiana de la lambonería al servicio de un homenaje que por primera vez en la historia, y quizá por última, tenía a un caricaturista como destinatario. «Esto no se va a repetir», le dijo Rodrigo Valencia, director del periódico durante las últimas tres décadas, cuando lo llamó, mensajero diligente, para hablarle de la visita oficial que acababa de recibir, de los elogios que acababa de escuchar, de las intenciones que le acababan de comunicar los organizadores. «No se va a repetir, y sería una bobada sacarle el cuerpo.»

«Y quién dijo que yo le iba a sacar el cuerpo», dijo entonces Mallarino.

«Nadie», dijo Valencia. «Bueno, yo. Porque lo conozco, Javier. Y ellos también, la verdad. Si no, para qué me iban a preguntar antes a mí.»

«Ah, ya veo. Usted es el negociador. Usted es el que me convence.»

«Más o menos», dijo Valencia. Su voz era gutural y profunda, una de esas voces que mandan con naturalidad, o cuyas exigencias son aceptadas sin remilgos. Él lo sabía; se había acostumbrado a escoger las palabras que mejor convinieran a esa voz. «Es que lo quieren hacer en el Colón, Javier, imagínese. No lo vaya a dejar pasar, no sea pendejo. No por usted, entiéndame, usted no me importa. Por el periódico.»

Mallarino soltó un bufido de fastidio. «Pues déjeme que lo piense», dijo.

«Por el periódico», dijo Valencia.

«Llámeme mañana y hablamos», dijo Mallarino. Y luego: «¿Sería en la sala Foyer?»

«No, Javier, eso es lo que le estoy diciendo. Lo hacen en la principal.»

«En la principal», dijo Mallarino.

«Es lo que le estoy diciendo, hombre. La cosa va en serio.»

Se lo confirmaron después —Teatro Colón, sala principal, la cosa iba en serio—, y el lugar le pareció apenas apropiado: allí, debajo del fresco de las seis musas, tras el telón donde Ruy Blas y Romeo y Otelo y Julieta compartían el mismo espacio alucinado, en el mismo escenario donde había presenciado tantos hermosos artificios desde que era niño, de Marcel Marceau a *La vida es sueño*, ahora se disponía a representar un artificio de su propia creación: el hijo predilecto, el ciudadano honorario, el compatriota ilustre con solapas grandes y capaces de acoger cuantas medallas fuera necesario. Por eso había rechazado el transporte que el Ministerio iba a poner a su disposición: un Mercedes negro y blindado de vidrios oscuros, según la descripción telefónica de una secretaria de voz temblorosa, que debía recogerlo en su casa de la montaña y dejarlo en las escaleras de piedra del teatro, justo debajo de la marquesina de hierro, joven damisela llegando al baile donde conocerá a su príncipe. No, esta tarde Mallarino había venido al centro manejando su viejo Land Rover y lo había dejado en un parqueadero de la Quinta con 19: quería llegar a pie a su propia apoteosis, acercarse como cualquier hijo de vecino, aparecer de pronto en una esquina y sentir que su mera presencia sacudía el aire, despertaba las lenguas, hacía que se giraran las cabezas; quería anunciar, con ese único gesto, que no había perdido un gramo de la vieja independencia: seguía teniendo la autoridad para poner a los suyos en el centro de la diana, y eso no lo cambiaban ni el poder ni los homenajes ni los Mercedes blindados con vidrios oscuros. Ahora, en la silla del embolador, mientras el cepillo se movía sobre sus zapatos (tan rápido que se transformaba en una gruesa línea marrón, igual que los ventiladores dejan de tener aspas para convertirse en círculos blancos), Mallarino se descubría haciéndose una pregunta que no estaba en su cabeza antes de llegar al centro: ¿qué habría hecho Rendón en su lugar? Si le hubiera ocurrido lo que a Mallarino, ¿qué habría hecho Rendón? ¿Habría recibido el homenaje con satisfacción, lo habría aceptado con resignación o cinismo? ¿Habría renunciado a él? Ah, pero Rendón renunció a su manera: el 28 de octubre de 1931 entró en la tienda de ultramarinos La Gran Vía, pidió una cerveza, hizo un dibujo y se pegó un tiro en la sien. En setenta y nueve años, nadie había sabido explicar por qué.

«Son tres mil quinientos, jefe», le dijo el embolador. «Es que sumercé tiene los pies bien grandes, oiga.»

«Me lo han dicho», dijo Mallarino.

«Mejor para mí, con perdón», dijo el hombre.

«Eso sí», dijo Mallarino. «Mejor para usted.»

Mallarino hurgó en los bolsillos de los pantalones, los de adelante y los de atrás, antes de pasar a la gabardina gris donde sus dedos encontraron, enredados en varias hebras como peces entre algas, un recibo de compra y un billete verdoso, gastado por el uso y a punto de romperse. «Mire», le dijo al embolador con generosidad calculada, «y quédese con las vueltas». El hombre alisó el billete, sacó de su cajón de madera una vieja billetera de cuero y allí lo guardó, sin doblarlo, metiéndolo con precisión. Luego levantó la cara cansada, cerró los ojos con fuerza, los volvió a abrir: «¿Quiere que preguntemos, jefe?»

«¿Preguntar qué?»

«Por el señor que usté andaba buscando. Le pregunto a los compañeros, no me cuesta nada.»

Mallarino dijo que no, movió la mano en el aire como borrando las últimas palabras, balbuceó un agradecimiento. Pero le gustó el hombre, su natural cortesía, sus buenas maneras: especies en vías de extinción en esta Bogotá inelegante y malencarada y tosca, la Apenas sudamericana. ¿Quién había dicho aquello de que en Bogotá hasta los emboladores citaban a Proust? Un inglés, se dijo Mallarino, sólo un inglés es capaz de perpetrar declaraciones semejantes. Claro, lo había dicho tiempo atrás: lo había dicho en otra ciudad, la ciudad desaparecida, la ciudad fantasma, la ciudad de Ricardo Rendón, la ciudad de La Gran Vía, cuya puerta de entrada Mallarino hubiera podido ver, unas décadas atrás, desde el lugar de la acera donde ahora se detenía distraídamente, a un paso corto de la calzada hostil, la mirada perdida entre las busetas de ventanas iluminadas. Pero la tienda había desaparecido. Muchas tiendas y muchos cafés habían desaparecido, La Gran Vía entre ellos. ¿Habría salido de esa puerta fantasma el fantasma de Rendón? Pero no era un fantasma: alguien vestido como Rendón, alguien parecido a Rendón, con el mismo sombrero de ala ancha, con el mismo corbatín desordenado: eso era todo. Tal vez, pensó Mallarino, era la proximidad de La Gran Vía o de su antiguo emplazamiento lo que había puesto en marcha la visión, o tal vez se había tratado de uno de esos recuerdos falsos que todos tenemos. Qué rara es la memoria: nos permite recordar lo que no hemos vivido. Mallarino recordaba perfectamente a Rendón caminando por el centro, encontrándose con León de Greiff en El Automático, llegando a su casa, borracho y solo y triste, a altas horas de la madrugada... Recuerdos ficticios, recuerdos inventados. No había por qué sorprenderse: era imposible, en un día como hoy, pretender que Rendón no hiciera parte de sus pensamientos. *El señor que usté andaba buscando.* No, él no lo andaba buscando en realidad: más bien se dirigía a reemplazarlo, a ocupar su solio o a heredar su cetro o cualquier otra metáfora imbécil como las que había leído en dos o tres columnas de opinión de gente tan informada como cursi, tan memoriosa como lameculos. «Es muy pobre la memoria que sólo funciona hacia atrás»: un recuerdo involuntario, una asociación libre, le había puesto esa frase en la cabeza. ¿De dónde salía la frase, y a qué se refería? Pero entonces dejó de pensar en ella, porque había mirado de nuevo el reloj y la forma de las manecillas se convirtió en un reproche: a ver si iba a llegar tarde a su propia coronación.

Empezó a caminar a contracorriente por la Séptima, cruzando la avenida Jiménez y la plaza del Rosario para internarse en el barrio de La Candelaria, sorteando a los vendedores empeñados en vender todo lo que pueda venderse —compre cigarrillos, compre oro barato, compre carritos de juguete o esmeraldas pulidas, compre paraguas o cordones de zapatos, compre colombinas rellenas de chicle, chicles sin colombinas, uvas pasas cubiertas de chocolate— y pensando que en el centro de Bogotá uno siempre tiene la sensación de caminar a contracorriente, las multitudes de la tarde convertidas en un fuerte viento de proa. Decidido a vencer la resistencia, Mallarino hundió la cabeza entre los hombros y metió las manos en los bolsillos de la gabardina, cuyas profundidades insondables nunca dejarían de sorprenderlo. Y en eso estaba pensando, en los rincones de la gabardina que a veces le parecía no haber explorado por completo, cuando oyó un taconeo detrás de él, o más bien se dio cuenta de que lo había oído cuando el taconeo terminó con una mano en su hombro, delicada como una hoja caída, y al darse la vuelta, entre sobresaltado y curioso, se encontró con la cara de Magdalena, su pelo tan claro que en él las canas se confundían, sus delgadas cejas arqueadas y su sonrisa irónica: el paisaje entero de unos rasgos que Mallarino había conocido en otro tiempo como ahora conocía la vista desde su ventana.

«Me parece que vamos para el mismo sitio», le dijo ella.

No había resentimiento en su voz: más bien una gentileza parecida al perdón o quizás al olvido (pero la voz de Magdalena siempre había sido capaz de cualquier sortilegio). Mallarino la saludó de un beso y su memoria recordó el perfume y algo se le despertó en el pecho: era cierto, la radio de Magdalena quedaba cerca. «Me parece que sí», dijo. «Si quieres te acompaño.» Y ella sonrió y lo tomó del brazo, o más bien enredó su brazo en el de Mallarino, como hacía cuando estaban casados y caminaban juntos por el centro, cuando todavía no habían permitido que la vida, la voluntariosa vida, hiciera de las suyas.

«Típico tuyo», dijo ella, «esto de llegar a pie».

Se había dado cuenta. Magdalena siempre se daba cuenta: así había sido siempre. Sus ojos líquidos —hoy, por alguna razón, más lustrosos de lo que eran en el recuerdo— lo veían todo, se percataban de todo.

«Y qué quieres», dijo Mallarino. «A nuestra edad, uno ya no cambia.»

Cuando se casaron, en una pequeña iglesia de pueblo con paredes de cal y escaleras de piedra que bajaban a la plaza y en las cuales uno podía troncharse un tobillo, Mallarino llevaba poco menos de un año haciendo caricaturas —dos mensuales, si había suerte— para un periódico de tendencias conservadoras y de capital familiar, una de esas publicaciones que nunca llegan a ser de primera línea pero que parecen haber existido siempre y cuyos ejemplares no venden los voceadores, sino que se asoman de repente en las droguerías o en los cafés cuando ya todo el mundo los ha olvidado. Aquel oficio menor —así pensaba en él Mallarino, con algo de involuntario desprecio— no formaba parte de sus grandes proyectos: si había abandonado los estudios de Arquitectura antes de terminar el segundo año, si se había negado a usar los contactos de su padre para trabajar sin diploma en un despacho importante, había sido para perseguir su verdadera vocación, o más bien para sacarles jugo a sus virtuosismos, pues hasta sus padres tuvieron que rendirse a la evidencia de su talento la tarde en que el pintor Alejandro Obregón, que por esa época pintaba sus óleos de palomas en un tercer piso de la carrera 12 con calle 17, visitó la casa de la familia, se plantó ante un desnudo de tamaño natural que Mallarino secaba con un secador de pelo, y exclamó una frase de ocho palabras que fue como la alternativa de un torero: «¿Pero dónde aprendió este carajo a pintar así?»

Los lienzos eran lo suyo. El futuro (los fantasmas que aparecían en su cabeza cuando se pronunciaba esa palabra) estaba en los lienzos. De manera que en esa época las caricaturas eran el sustento inmediato, la forma de ir viviendo mientras en el patio se acumulaban los marcos de gran formato que llenaban la casa de olor a trementina y cuyos cuerpos de mujer, todos versiones más o menos disfrazadas de Magdalena, cambiaban de color según los ánimos de la luz que entraba por la claraboya. En el periódico le pagaban mal y tarde, y sólo cuando llegaban, en efecto, a usar su dibujo: no era infrecuente que Mallarino mandara cinco o seis caricaturas por semana y las recibiera de vuelta a fin de mes con una nota secretarial, un papel de membrete repujado en que el editor de Opinión lamentaba con demasiadas palabras no poder usar su trabajo esta vez. A sus veinticinco años, Mallarino ignoraba todavía que aquella fuera la práctica corriente en las redacciones del país; Magdalena tampoco lo sabía, pero fue ella quien le sugirió hacer sólo una caricatura y no mandar la siguiente hasta que la primera fuera publicada. «¿Y si no la publican?», le dijo Mallarino. «Pues esperamos hasta que la publiquen», dijo ella. «Pero es que se pasa el momento. Las caricaturas son como el pescado: si no se usan hoy, no se pueden usar mañana.» «Pues será como tú dices», dijo Magdalena dando por cerrado el asunto. «Pero eso es también problema de ellos.»

Y claro, tenía razón. Sometido al racionamiento, el periódico empezó a publicar cada cosa que Mallarino mandaba, e incluso a aumentar la frecuencia de sus apariciones. Durante cinco meses la nueva situación fue ideal. Entonces, en el mes de agosto, el presidente colombiano y el presidente chileno firmaron una declaración conjunta en la cual ambos países manifestaban oficialmente su respeto a la diversidad ideológica. Mallarino los dibujó a ambos, al colombiano con su eterna sonrisa involuntaria y al chileno con sus gafas de marco grueso y vidrios tintados. *Mira, Salvador querido, en Colombia no importa si eres liberal o conservador,* se leía en la primera línea del texto. Y en la segunda: *Lo que importa es que seas de buena fa-*

milia. El dibujo quedó terminado en el primer borrador, y así lo dejó Mallarino en la portería del periódico, bien metido en una carpeta rígida, y la carpeta metida en una bolsa plástica de mercado (había estado lloviznando). Pero al día siguiente, cuando abrió el periódico, se encontró con que la segunda línea del texto había desaparecido, y su ausencia fue como una grieta en la tierra, un desagüe por donde se va todo. «Quiero que alguien me lo explique», dijo esa tarde en las oficinas de la redacción: había llegado en taxi, porque la urgencia lo ameritaba, con el periódico doblado como un catalejo y arrugado en su puño sudoroso. No le gustó que la voz le temblara; para evitarlo, trataba de alzar el tono, pero el resultado no era bueno.

«No hay nada que explicar», le dijo el director. Era un hombre con papada de cocinero y ojos pequeños; en su cara desordenada, la boca parecía moverse con independencia de los demás músculos. «No se sulfure, Javier, esto pasa todo el tiempo.»

«¿A quién? ¿A quién le pasa todo el tiempo?»

«A todos los que hacen monos aquí. ¿No se había dado cuenta? Todos saben que a veces hay que cortar. Ahora va a resultar que el editor no tiene ese derecho.»

«En una columna», dijo Mallarino. Era una pésima defensa, pero no encontró otra. «No en una caricatura.»

«En las caricaturas también, mi chinito, no sea ingenuo. Porque también aparecen en el periódico y también ocupan espacio. ¿Qué les digo si no a los anunciantes? Dígame, ¿qué les digo?»

Mallarino no dijo nada.

«Les voy a decir esto», siguió el director, comenzando a caminar en círculos, los pulgares de ambas manos bien agarrados del cinturón. «Les voy a decir: miren, señores anunciantes, señores que me pagan miles de pesos al año, tengo un problema. No les puedo poner su publicidad, a pesar de que la plata que ustedes me pagan es la que paga el sueldo de los periodistas. ¿Y saben por qué, señores anunciantes? Porque al dibujante no le gusta que le recorten su espacio ni un milímetro.

Que luego nos toque cerrar el periódico no importa, pero el cuadrito de los monos no me lo tocan. Los genios son así, señores anunciantes, agradezcan que no les toca a ustedes tratar con ellos. Eso les voy a decir: que los genios son así. ¿Le parece bien, Mallarino?»

Mallarino no dijo nada.

«Les dejamos de pagar a los periodistas. O si quiere, le dejamos de pagar a usted. ¿Le parece?»

Mallarino no dijo nada.

«Mire, váyase a su casa y tómese un aguardiente. Y tranquilo: la próxima vez, alguien llama al señorito y le pide permiso. Para que no arme pataletas, caray, que eso nos cansa a todos.» Señaló la ventana interior de su oficina, un gran fresco de caras disimuladas, una constelación de ojos que miraban de costado: «Mire cómo está la gente. Como si esto fuera una plaza de mercado, qué vergüenza».

Y entonces Mallarino dijo las últimas palabras: «¿Me devuelve el original, por favor?»

Salió a encontrarse con una ciudad oscurecida —las nubes bajas, los vestidos negros de los transeúntes y el susurro metálico de los paraguas que ya se abrían por todas partes— y un aguacero estalló antes de darle tiempo de volver a su casa. Tenía el pelo aplastado y los hombros hundidos bajo el peso de la lluvia, pero no parecía darse cuenta de haberse convertido en aquel espantapájaros sabanero. *La próxima vez:* las tres palabras seguían resonando en su cabeza, rebotando contra las paredes de su cráneo, cuando le contó el episodio entero a Magdalena. «La próxima vez», dijo ella, alcanzándole al mismo tiempo una toalla de color malva como si le entregara una declaración de guerra para su firma y consentimiento. «La próxima vez. Pues me parece a mí que no va a haber próxima vez.»

«¿Cómo así?», dijo Mallarino.

«Así como lo oyes», dijo Magdalena. «Los vamos a mandar al carajo, para que aprendan.»

Magdalena era apenas un par de años más joven que él, pero andaba por la vida como un capataz anda por su finca.

Era dueña de una inteligencia tan brutal como su testarudez, y no la estorbaba el hecho de que su apellido fuera el fundador de una legendaria firma de abogados —dos pisos alfombrados de un edificio que miraba al Parque Nacional—, aunque siempre se hubiera declarado en rebeldía contra el apellido, contra su padre y contra las expectativas de todo el mundo: en lugar de entrar a la facultad para seguir con la tradición familiar, Magdalena se había convertido en una de las actrices mejor pagadas de las radionovelas nacionales, la voz que, desde *Kalimán, el hombre increíble* primero y después desde *Arandú, el príncipe de la selva,* hechizaba al país entero a las doce del mediodía. El paso a esos melodramas había sido natural para ella, una prolongación de las propagandas que había leído desde la adolescencia, cuando las agencias de publicidad comenzaron a disputarse los privilegios de su voz. La voz de Magdalena: ronca y tersa al mismo tiempo, una de esas voces que paralizan la mano de quien hace girar el dial, que traducen el caos del mundo y convierten su jerga oscura en un lenguaje diáfano. «Un chelo que habla», le decía Mallarino, y ahora esa voz de chelo decía *Los vamos a mandar al carajo,* y Mallarino pensaba *sí, al carajo,* y también pensaba *para que aprendan.* Los momentos más difíciles, según la experiencia de Mallarino, quedaban reducidos a su expresión más sencilla cuando Magdalena hablaba de ellos, y eso sucedió esa tarde: después de la conversación, después de la ducha caliente que Mallarino tomó para sacarse de encima el frío de la lluvia, después del sexo improvisado y de la comida bien planeada, ya todo estaba claro.

Magdalena llevó a la cocina los platos y los cubiertos y los individuales de fique de colores mientras Mallarino traía un papel, una plumilla y un frasco de tinta que acomodó en el centro de la mesa, todavía caliente por el calor de las refractarias. En veinte minutos, mientras ella guardaba los sobrantes y cubría los recipientes con un corte meticuloso de papel de aluminio, él dibujaba un autorretrato a vuelapluma y lo metía en un sobre junto al dibujo de los presidentes. Se divirtió haciendo por primera vez una caricatura de sí mismo: la calvicie prematura, la barba tupida y negra que había heredado de su padre y las gruesas gafas angulares, dos pequeñas cajas de acetato negro que no alcanzaban a esconder sus ojos desconfiados, su mirada estudiadamente desvalida. En el lugar de la boca, una mordaza de película; bajo el dibujo, la leyenda. *A la oligarquía no le gusta que se hable de ella,* se leía en la primera línea. Y enseguida: *No sea que nos demos cuenta de que ahí sigue.* En el sobre había otro documento: una carta manuscrita y dirigida a Pedro León Valencia. Era el director de *El Independiente,* el periódico liberal más antiguo del país, y un hombre de convicciones fuertes. «Le ofrezco un paquete», escribió Mallarino con su propia caligrafía de hacedor de diplomas, pero con palabras dictadas por Magdalena: «Mando una caricatura original, una caricatura censurada y una caricatura sobre la censura. Si lo puede publicar todo junto, el paquete es suyo; de lo contrario, devuélvamelo y yo busco otro periódico». Magdalena insistió en llevar el sobre, para que Mallarino no pareciera necesitado (nunca perdía de vista estas estrategias casi militares de la vida en sociedad), y esa misma tarde timbraron, en un comienzo de coro histérico, los dos teléfonos de la casa. Era el editor de Opinión, un hombre que Mallarino conocía de antes y que nunca le había gustado: era uno de esos perseguidos de profesión que no son capaces de dar una buena noticia sin que se les note el dolor del bien ajeno. Y Mallarino supo que lo llamaba para darle una buena noticia: eso se sentía en la hostilidad de su tono, en sus frases de sílabas cortadas como con un machete; a Mallarino lo sorprendía que su rencor o su envidia no hicieran espumarajos en el auricular.

«El director le quiere ofrecer un puesto de planta», dijo el hombrecito.

«Pero yo no quiero eso», dijo Mallarino. «Yo no quiero estar en la nómina de nadie.»

«No sea bobo, Mallarino. Una nómina es lo que se sueña todo dibujante. Un sueldo fijo, no sé si me entiende.»

«Le entiendo», dijo Mallarino. «Pero no quiero. Páguenme lo mismo pero sin nómina. Yo les prometo que no dibujo para nadie más. Ustedes me prometen que me publican lo que yo mande, aunque sea contra sus amigos. Vaya pregúntele al director, y me cuenta.»

Era una jugada riesgosa, pero surtió efecto: los tres dibujos aparecieron al día siguiente, y así, transitoriamente disfrazados de tira cómica, llamando al lector con tanta elocuencia desde el centro de la página, dejaron de ser la mera protesta de un joven artista con ínfulas y se convirtieron en una elaborada narrativa de la traición mediática, una condena de la censura y una sonora burla de las vulnerabilidades burguesas, todo hecho por uno de los hijos más autorizados de esa burguesía. «Se enloqueció tu marido», le dijo su padre a Magdalena, «a ver si ya se nos volvió comunista». Y ella le transmitió el mensaje a Mallarino levantando la ceja izquierda y con una leve sonrisa ladeada, un gesto de evidente satisfacción que allí, en la penumbra de su cuarto, al final de un día lleno de tensiones y ansiedades, resultó casi erótico. Mallarino encendió la radio, por si alcanzaba a encontrarse con una emisión repetida de *Kalimán,* pero Magdalena, que detestaba oírse a sí misma, se tapó los oídos con ademanes histriónicos, y él se vio obligado a buscar otra cosa. A Magdalena le resultaba imposible reconocerse en la emisión de su programa: aquella voz no era su voz, decía, sino que había una conspiración nacional para esperar a que ella saliera del estudio y entonces regrabar, con otra actriz más entrenada, todo lo que ella había grabado. Mallarino abrió el brazo y Magdalena recostó la cabeza en su pecho, lo abrazó a su vez, y su boca soltó un par de ruiditos de gato que él no llegó a entender. Al cabo de unos segundos de silencio, Mallarino notó que el cuerpo de Magdalena cambiaba de peso —su antebrazo y su codo, su cabeza de olores limpios—, y supo que se había quedado dormida. Encontró en la radio un partido de fútbol, y antes de dormirse también, arrullado por los ronquidos leves de su esposa y la cantinela monótona de los locutores, alcanzó a oír dos goles de Apolinar Paniagua y a pensar en algo que no tenía relación ninguna con los goles, sino con el dibujo de *El Independiente:* pensó que no lo podía probar, que no hubiera sabido decir cómo ni por qué, pero que su lugar en el mundo acababa de transformarse sin remedio.

No se equivocaba. Ese día fue el primero de la época más intensa de su vida, una década en que pasó del anonimato a la reputación y luego a la notoriedad, todo a ritmo de una caricatura diaria. Su trabajo era el metrónomo que lo regulaba: así como otros viven en mundiales de fútbol o según los estrenos del cine, Mallarino asociaría cada suceso importante de su vida a la caricatura que estuviera haciendo en el momento (los pómulos sin ojos del guerrillero Tirofijo, secuestrador del cónsul holandés, evocarían siempre el primer cáncer de su padre; el mentón inexistente y el cuello de ganso del enfermo Francisco Franco, el nacimiento de su hija Beatriz). Su rutina era invencible. Se levantaba poco antes de las primeras luces, y mientras se hacía el café sentía el susurro de dos periódicos metiéndose a medias por debajo de la puerta, los prudentes pasos del portero alejándose, la maquinaria del ascensor —su pesarosa queja electrónica— volviendo a la vida. Leía la prensa de pie frente al mesón de la cocina, con las páginas bien extendidas sobre la superficie, para poder señalar los temas interesantes con un brusco círculo de carboncillo. Al terminar, ya con la luz fría de las mañanas andinas llenando tímidamente el salón, se llevaba su radio al cuarto de baño y se dejaba acompañar de las noticias mientras su cuerpo se entregaba a los placeres consecutivos de la cagada y la ducha, un ritual que limpiaba sus intestinos, sí, pero sobre todo su cabeza: la limpiaba de la basura acumulada el día anterior, de todas las críticas que pretendían ser inteligentes y sólo eran resentidas, todas las opiniones que deberían parecerle sólo imbéciles y en realidad le parecían criminales, todos los encontronazos con este curioso país cainita donde se premiaba la mediocridad y se asesinaba la excelencia. En la ducha, con el agua caliente resbalándole por la piel y fabricando delicados escalofríos de poros que se cerraban y se abrían enseguida, a veces ni siquiera llegaba a distinguir las palabras de la radio; pero un mecanismo de fantasía le permitía adivinarlas o intuirlas, y al apagar el agua y empujar la puerta corrediza —dos o tres movimientos de más, pues el filo de aluminio se atascaba invariablemente en el marco— era como si no se hubiera perdido de nada. Segundos después, al abandonar el mundo de vapor del cuarto de baño, el dibujo del día ya había nacido en su cabeza, y a Mallarino sólo le quedaba dibujarlo.

Era, y seguiría siendo durante mucho tiempo, el momento más feliz de la jornada: media hora, o una, o dos, en que nada existía fuera del amable rectángulo de la cartulina y el mundo que en él iba naciendo, inventado o fundado por las manchas y las líneas, por los ires y venires de la tinta china. Durante esos minutos Mallarino se olvidaba incluso de la indignación o la irritación o el mero afán contestatario que habían dado origen al dibujo, y toda su atención, igual que le ocurría en medio del sexo, se volcaba en una forma atractiva —unas orejas, unos dientes exagerados, un mechón de pelo, un corbatín deliberadamente ridículo— fuera de la cual nada existía. Era un abandono total, sólo roto cuando el dibujo resultaba difícil o terco: en esas raras ocasiones Mallarino se encerraba en el baño de visitantes con una *Playboy* en la mano izquierda, y una masturbación rápida lo dejaba listo para terminar la batalla con el dibujo, siempre de manera victoriosa. Al final se ponía de pie, daba un paso atrás y miraba el papel como un general que se asoma a una batalla; luego firmaba, y sólo entonces el dibujo comenzaba a formar parte del mundo de las cosas de verdad. Por algún útil sortilegio, sus caricaturas carecían de consecuencias mientras las hacía, como si nadie las fuera a ver nunca, como si existieran tan sólo para él mismo, y sólo al firmarlas se daba cuenta Mallarino de lo que acababa de hacer o decir. Entonces metía la cartulina en el sobre, sin mirarla fijamente —«como Perseo metiendo en la bolsa la cabeza de la Medusa», le diría años después a un periodista—, y el sobre en un maletín de cuero desastrado que Magdalena le había comprado en un mercado de pulgas; se iba en bus a las oficinas del periódico, una suerte de búnker donde los habitantes, desde las aseadoras hasta los fotógrafos, parecían tener el color del hormigón; entregaba el sobre y regresaba a su vida sin saber muy bien en qué ocupar las manos, como desposeído, preguntándose por qué seguía haciendo lo que hacía, qué efecto real tendría su caricatura en el mundo desenfocado y remoto que comenzaba al borde de su mesa de trabajo, ese precipicio de madera fina. ¿Era desencanto lo que sentía, era mera desorientación, era tedio? ¿Estaba cayendo en la vieja trampa, estaba teniendo más bilis que lápiz? El mundo a su alrededor estaba cambiando: Pedro León Valencia había cedido la dirección a su hijo mayor, y Mallarino reconoció que parte del placer de trabajar en *El Independiente* era hacerlo con una leyenda, ser el descubrimiento o la invención de una leyenda. Pasados los años de la novedad, perdido el envión egocéntrico de abrir el periódico todas las mañanas y ver su nombre en negro sobre blanco, Mallarino empezaba a preguntarse si había valido la pena abandonar sus lienzos y sus óleos por esto: por esta adrenalina que ya no sentía, por estas reacciones imaginarias de imaginarios lectores que nunca había llegado a conocer, por esta vaga y acaso falsa sensación de importancia que sólo le causaba disgustos íntimos: familiares que lo saludaban con menos cariño, amigos que ya no lo invitaban a comer con sus esposas. ¿Para qué?

Fue entonces cuando recibió, en una misma jornada prodigiosa, la respuesta a todas sus preguntas. Se había acostumbrado a pasar las tardes caminando por el centro, comprando para su hija las láminas absurdas de un álbum absurdo que Magdalena se empeñaba en completar, o embolándose los zapatos y hablando de política con los emboladores, o simplemente mirando la vida con una especie de hambre que le pedía quedarse en la calle en lugar de volver a su encierro de las mañanas, y en la calle quitarse la chaqueta y sentir en los brazos el roce con otros brazos y en la nariz el olor de los cuerpos vivos, la comida que comen y la orina que derraman en los rincones. Esa tarde, además, era martes, el día de la semana que Mallarino dedicaba a llegar hasta el edificio de Avianca, recoger el correo en su apartado postal (la cajilla metálica y gris y profunda que le producía felicidades sin cuento, como a un niño el sombrero de un mago) y sentarse luego en un café cualquiera de la zona para leer las revistas, para contestar a las cartas. Llegaba a la carrera Séptima a la altura de la Biblioteca Nacional y desde allí, siempre por la acera oriental, empezaba a caminar hacia el sur, a veces fijándose en la ciudad ruidosa y desordenada y acosadora, a veces tan distraído que el edificio se le aparecía antes de tiempo, sus largas líneas rectas penetrando el cielo y golpeadas, cuando la tarde era de sol, por una luz densa que no parecía de este mundo. Al entrar, ya su mano había palpado el llavero en el bolsillo y separado al tacto la llave de la cajilla, para no tener que encontrarla y escogerla frente al muro de cementerio de los apartados. Y así ocurrió esa vez: Mallarino se abrió paso por los corredores (por su luz blanquecina que dibujaba ojeras en los ojos de la gente) y se dirigió a la cajilla gris; alargó el brazo y su mano precisa, esa mano que dibujaba ángulos de noventa grados justos sin necesidad de instrumentos, puso la punta de la llave en la cerradura como un caballero medieval hubiera puesto la punta de su lanza en el pecho del contrincante. Pero la llave no entró.

Pensó primero que se había equivocado de cajilla. Se acercó a la portezuela y el número lo miró desde la etiqueta metálica con todas sus cifras, las de siempre, las que Mallarino conocía de memoria. No se había equivocado. La revelación le llegó tarde, como un invitado negligente: fue una sombra o una textura lo que le hizo acercarse a la superficie metálica, y sólo cuando estuvo a tres dedos de la cerradura se dio cuenta de que la habían bloqueado con chicle. Era una pasta endurecida (debía de llevar allí unos cuantos días) que copaba la ranura de manera meticulosa y sin salirse de los bordes: un trabajo hecho a conciencia. Mallarino acercó la punta de la llave a la pasta, empujó tanteando, rasgó un poco, intentó un movimiento de tallador con la muñeca, pero nada logró: la pasta de chicle seco se mantuvo inamovible. «Uy, lo que le hicieron», dijo alguien, y Mallarino giró la cabeza para encontrarse con un diente de oro que chispeaba en medio de una cara mal afeitada. «Eso sí no tiene arreglo, es que la gente ya no respeta.» Y al rato Mallarino estaba subiendo por unas escaleras jaspeadas, caminando hasta llegar a un mesón, dando su cédula y viendo cómo una mujercita revisaba libros y abría cajones y volvía a cerrarlos y sacaba de algún lugar impreciso una fotocopia de formulario y preguntaba si Mallarino le pagaría en efectivo o con cheque y se volvía sorda cuando Mallarino protestaba y decía que él no había perdido la llave, que alguien le había puesto un chicle en la cerradura, y la mujer le decía que era lo mismo y que cómo le pagaba: ¿en efectivo o en cheque? Luego hubo sellos de tinta morada, papel carbón y recibos de colores pastel, tiempo perdido en una silla de plástico dura y hostil y, al final, un grito resonando en las paredes de cemento: «¿Mallarino? ¿Javier Mallarino?»

Un cerrajero flaco y afligido —su overol conservaba el olor de la ropa que se ha secado mal— lo acompañó frente a la cajilla rebelde, sacó una serie de herramientas sin nombre de un cinturón de cuero y los metales soltaron destellos bajo las luces de neón, y lo siguiente fue la violación de la cerradura, o lo que Mallarino percibió como una violación, una penetración violenta y traicionera a su vida íntima, por más que él mismo hubiera dado la autorización y el consentimiento, por más que en todo momento hubiera estado presente. Le dolieron el salto de la cerradura, la cachetada de la portezuela al abrirse, la vulnerabilidad de su colección de revistas mirándolo suplicante desde el fondo penumbroso: la última *Alternativa,* la última *New Yorker,* un *Canard enchaîné* que le había mandado un colega parisino y que le llegaba con retraso. Quiso irse: encontrarse ya en su casa, en su refugio, acompañado de su lectura y una cerveza y sintiendo o intuyendo la presencia tranquilizadora de su mujer y de su hija. Pero todavía tuvo que presenciar la instalación de la cerradura nueva y recibir las nuevas llaves y firmar otros papeles y poner propinas en manos sin rostro antes de salir de nuevo a la Séptima con el maletín de cuero terciado sobre el pecho, la nuca sudorosa y los ojos cansados de tanta oscuridad. Luego pensaría que había sido ese cansancio, o la desorientación que siempre lo embargaba después de lidiar con la burocracia sin sentido de este país, o simplemente el color blanco del sobre, ese blanco inmaculado, sin señas ni escrituras de ningún tipo, sin estampillas, sin aquella estría roja y azul que delataba las cartas que venían del extranjero. Había empezado a sacar las revistas del maletín (la impaciencia de comenzar a hojearlas) y tenía la mano metida dentro, los dedos moviéndose como en un fichero y la cabeza mirando hacia abajo para ver las portadas, cuando notó la punta que se asomaba en medio de las páginas. Se detuvo en pleno parque, miró el sobre por ambos lados, lo abrió. «Javier Mallarino», decía el texto de la carta, escrito a máquina sin lugar ni fecha. «Con sus deformaciones de la verdad usted ha atacado y desprestigiado a las Fuerzas Armadas de nuestra República, haciéndole el juego al enemigo, es un MENTIROSO y un APÁTRIDA y le notificamos que se está agotando la paciencia de quienes somos LEALES a nuestro querido país, sabemos dónde vive y dónde estudia su hija, no vacilaremos en castigar con la mayor dureza si vuelve a vulnerar la honra.» En la última línea, escorada a la derecha sin un *Atentamente,* sin un *De usted,* sin un *Saludos cordiales,* una sola palabra que parecía gritar desde la página: «PATRIOTAS».

Lo primero que hizo al llegar a casa fue enseñarle el anónimo a Magdalena, y supo que ella estaba genuinamente preocupada cuando la oyó burlarse de la redacción y de la gramática. Entre los dos se pusieron a recordar cuál había sido la última caricatura con un militar como protagonista; tuvieron que retroceder seis semanas para encontrar una serie de tres dibujos en que un caballo con cara desconsolada hablaba con una mujer que manipulaba unas estructuras de hierro. Mallarino había dibujado aquellas escenas después de que Feliza Bursztyn, una escultora bogotana famosa por trabajar con chatarra, hubiera sido acusada de actividades subversivas, recluida en las caballerizas del Ejército, manoseada y humillada y forzada más tarde a marcharse al exilio. Magdalena y Mallarino pusieron los originales sobre el sofá largo de la sala y durante un buen rato estuvieron mirándolos, como deseando su desaparición del pasado reciente. Tuvieron tanto miedo esa noche que pusieron un colchón en el suelo de su cuarto para que allí se acostara la pequeña Beatriz, que por entonces tenía seis años recién cumplidos, y la familia durmió así, amontonada en el mismo espacio insuficiente, respirando un aire gastado durante toda la noche y con el seguro bien puesto en la puerta de aglomerado. Luego vendrían días de paranoia, de mirar hacia atrás en las calles del centro, de volver a casa antes de que se hiciera de noche, pero más tarde, cuando la amenaza fue cayendo en el olvido, lo que recordarían sería la reacción de Rodrigo Valencia, que soltó una carcajada desde el otro lado de la línea cuando Magdalena lo llamó a la redacción del periódico, el día después de recibida la nota, para contarle lo sucedido. Mallarino vio a Magdalena fruncir el ceño con el teléfono pegado a la oreja, y luego la oyó transmitir fielmente el mensaje:

«Dice Rodrigo que felicitaciones, que ya estás donde tenías que estar. Que en este país uno sólo es alguien cuando alguien más quiere hacerle daño.»

En el hombro izquierdo del escenario, oculto entre bambalinas, Mallarino esperaba. Los organizadores del homenaje le habían pedido que no se moviera de allí hasta ser anunciado, y él, obediente, se entretuvo mirando el terciopelo de las cortinas y las vetas de la madera en el entablado, pero también el ajetreo de la gente que caminaba sin tropezarse con las vigas, los cables de usos ignotos, los atrezos abandonados como restos de viejas batallas. El Teatro Colón estaba sumido en una media penumbra. El público, aquel público que había venido a verlo a él, tenía la mirada fija en el fondo del escenario, en las imágenes sueltas que se proyectaban sobre una pantalla blanca mientras una voz de locutor profesional contaba su biografía con un fondo de música más bien cursi. Mallarino trató de asomarse sin ser visto. El ángulo imposible no le impidió reconocerse a sí mismo pintando en el patio de sus padres, o hablando con el presidente Betancur, o recibiendo a unos camarógrafos para que le hicieran un documental en su casa de la montaña, o posando junto a un viejo dibujo el día de su primera exposición retrospectiva, a comienzos de los años noventa. Era una caricatura de Gorbachov; Mallarino la recordaba como si la hubiera dibujado ayer: la cabeza calva del modelo, y en ella, en lugar de la mancha de nacimiento que ya era célebre, los mapas de Nicaragua y de Irán. Detrás de Gorbachov, como vigilándolo, se alcanzaba a ver a un Ronald Reagan preocupado y meditabundo. En el texto se leía: *Y estos rusos, ¿se Irán-Contra nosotros?* El dibujo entero le había tomado poco más de una hora, pero el chiste fácil del texto lo había dejado siempre insatisfecho, y ahora Mallarino revivía esa insatisfacción y redactaba en su cabeza nuevos borradores, distintas combinaciones de las mismas palabras, retruécanos menos evidentes. En esas estaba cuando oyó el anuncio, y lo siguiente fue salir a escena, sufrir el asalto de las luces, sentir el estallido de los aplausos como un golpe de viento y escuchar su estruendo como un aguacero.

Mallarino levantó una mano en son de saludo; su boca se movió imperceptiblemente. Vio su silla vacía como entre nieblas; vio caras que lo saludaban, manos que se alargaban solícitas para apretar la suya y luego regresar al aplauso, rápidas como las de un embolador cepillando. Por una vieja costumbre —pero de dónde le vendría, cuándo habría nacido— se sacó del bolsillo del pecho dos plumillas y su lapicero de hacer apuntes y los colocó sobre la mesa, tres líneas perfectamente paralelas. La sala estaba llena: en un fogonazo recordó sus visitas anteriores, y en su cabeza se mezclaron un concierto de Les Luthiers y una zarzuela que le había gustado mucho a pesar de que Luisa Fernanda, nada menos, había soltado un gallo en la primera canción. Buscó el palco que había ocupado entonces, cuatro a la derecha del Presidencial, y lo encontró ocupado por una banda de seis jóvenes que lo aplaudían de pie. Sólo cuando el resto del público se fue sentando poco a poco, dibujando olas delicadas sobre el mar de la platea, se dio cuenta de que todos los asistentes habían estado de pie un momento antes: se habían puesto de pie para recibirlo. En la primera fila estaba Rodrigo Valencia, las manos juntas sobre el vientre, los codos invadiendo las sillas vecinas: Valencia siempre daba la impresión de que las sillas le quedaban pequeñas. Una voz sonó a través de los altoparlantes. Mallarino tuvo que buscar su fuente, primero en la mesa, luego en el atril de madera barata que ostentaba un escudo de Colombia. Tras el atril, la ministra —Mallarino la había visto en los noticieros y había leído sus declaraciones: sus intenciones eran tan laudables como grande era su ignorancia— comenzaba a hablar.

«Si a mí me preguntan cómo es el expresidente Pastrana», decía, «igual que si me preguntan cómo eran Franco o Arafat, la imagen que se forma en mi cabeza no es una foto, sino un dibujo del maestro Mallarino. Mi idea de muchas personas es lo que él ha dibujado, no lo que yo he visto. Es posible, no, es seguro que lo mismo les pasa a muchos de los presentes». Mallarino la escuchaba con la mirada fija en la mesa, percibiendo como una mano la mirada de los otros sobre él, jugueteando con un anillo inexistente: el anillo que una vez estuvo en su anular izquierdo y cuya presencia Mallarino seguía sintiendo, igual que sienten los amputados el miembro que les falta. «De alguna manera», seguía la ministra, «ser caricaturizado por Javier Mallarino es tener vida política. El político que desaparece de sus dibujos deja de existir. Pasa a mejor vida. Yo he conocido a muchos que además me lo han dicho: la vida después de Mallarino es mucho mejor». Una breve risa premió la ocurrencia. De modo que la mujercita tenía sentido del humor, pensó Mallarino, y levantó la cara; y en ese instante, tal como nos llama la atención nuestro nombre perdido en medio de una página cualquiera, Mallarino encontró la cara luminosa de Magdalena en medio de la multitud sonriente. También ella sonreía, pero la suya era una sonrisa melancólica, la sonrisa de las cosas perdidas. ¿Qué estaría pasando en su vida? Llevaban muchos años sin hablar en serio: habían convenido, con las solemnidades de un tratado internacional, que revelarse mutuamente sus vidas privadas sólo iba a servirles para complicarlo todo: para acelerar, como cualquier bacteria, la descomposición de sus buenos recuerdos, y para amargarle la vida a Beatriz, cuya adolescencia había sido un meticuloso martirio en el cual ella era la culpable de cada una de las desgracias familiares, y el resto de su vida había sido siempre una terca y veloz huida hacia adelante. Para Mallarino, las opciones vitales de su hija —su marido de familia provinciana y católica, su carrera como médico sin fronteras— no eran más que una sofisticada manera de escapar de la familia, de ese apellido que despertaba siempre reacciones embarazosas, pero también de la dolorosa experiencia de crecer como hija de una pareja rota o fracasada. El único lunar de esta noche era la ausencia de Beatriz, que justo esta semana había debido hacer un viaje imprevisto a La Paz, y en unos días haría otro, más largo y meditado, a un pueblo impronunciable de Afganistán, y entre los dos pasaría a verlo o lo llamaría para que almorzaran juntos, y Mallarino sabría, tras esa visita o ese almuerzo, que frente a él se abría un desierto de meses y meses sin volver a verla. La ministra estaba de repente hablando de vasos griegos y de trazos esenciales, pronunciando palabras como *símbolo,* como *alegoría* y *atributo,* y Mallarino recordaba mientras tanto un seminario sobre periodismo de opinión —un título pomposo y unos invitados grandilocuentes— donde le preguntaron qué cambiaría de su vida y él sólo acertó a pensar en su relación con Beatriz.

«Con el paso del tiempo, de estos cuarenta años que hoy son motivo de celebración», decía mientras tanto la ministra, «los dibujos del maestro Mallarino se han ido entristeciendo. Sus personajes se han endurecido. Su mirada se ha vuelto más intransigente, más crítica. Y sus caricaturas, en general, se han vuelto imprescindibles. Yo no imagino una vida sin la caricatura diaria de Javier Mallarino, pero tampoco me imagino un país que pueda darse el lujo de no tenerlo». Esto, admitió Mallarino, le había salido bonito: ¿quién le escribiría los discursos? «Y es por eso que hoy le hacemos este homenaje, un reconocimiento mínimo a un artista que se ha convertido en la conciencia crítica del país. Hoy le entregamos esta condecoración, la más alta que entrega nuestra patria, pero también le entregamos otra cosa, maestro: una pequeña sorpresa que tenemos para usted.» Detrás de la mesa, en el fondo del escenario, apareció de nuevo la pantalla blanca del principio, y sobre ella se iluminó una imagen: era la caricatura que Mallarino había hecho de sí mismo cuarenta años atrás, ese irónico autorretrato que le había servido para defenderse de una censura y para empezar su carrera en *El Independiente.* Pero allí, sobre la pantalla, la imagen llevaba un marco dentado, y sobre la cara barbada de Mallarino, a la altura de sus gafas, se leía un precio. Era una estampilla. «Maestro Mallarino», dijo la ministra: «acepte, por favor, el primer ejemplar de la nueva estampilla del correo nacional, para que de ahora en adelante las cartas que se franqueen en nuestras ciudades sean también un homenaje a su vida y a su obra». Y se apartó del micrófono y del atril y llegó hasta donde él estaba. Mallarino vio el pelo largo que rebotaba sobre los hombros, el pecho que se levantaba con la respiración nerviosa, la mano que soltaba un tintineo de pulseras delicadas al extenderle un marco negro. Por una vieja deformación, Mallarino identificó la moldura de madera, el vidrio mate y el cartón pluma. En el centro de un enorme espacio negro, profundo como el cielo nocturno, estaba la estampilla. Cambió de manos el marco y el aguacero de aplausos estalló por segunda vez. Mallarino registró un leve cosquilleo en la nuca y un movimiento en la boca del estómago. Al acercarse al atril con el escudo de Colombia, cuyos flancos sobresalientes se veían desde atrás como las orejas de un murciélago, se dio cuenta de que estaba emocionado.

«Cuarenta años», dijo, inclinando el cuerpo hacia el ojo de mosca del micrófono. «Cuarenta años y más de diez mil caricaturas. Y déjenme que les confiese una cosa: todavía no entiendo nada. O quizás es que las cosas no han cambiado tanto. En estos cuarenta años, se me ocurre ahora, hay por lo menos dos cosas que no han cambiado: primero, lo que nos preocupa; segundo, lo que nos hace reír. Eso sigue igual, sigue igual que hace cuarenta años, y mucho me temo que seguirá igual dentro de cuarenta años más. Las buenas caricaturas tienen una relación especial con el tiempo, con nuestro tiempo. Las buenas caricaturas buscan y encuentran la constante de una persona: aquello que nunca cambia, aquello que permanece y nos permite reconocer a quien no hemos visto en mil años. Aunque pasaran mil años, Tony Blair seguiría teniendo orejas grandes y Turbay un corbatín. Son rasgos que uno agradece. Cuando un político nuevo tiene uno de esos rasgos, uno inmediatamente piensa: que haga algo, por favor, que haga algo para que pueda usarlo, que no se pierda ese rasgo en la memoria del mundo. Uno piensa: por favor, que no sea honesto, que no sea prudente, que no sea buen político, porque entonces no lo podría utilizar con tanta frecuencia.» Se oyó un susurro de risas, delgado como el rumor previo al escándalo. «Claro, hay políticos que no tienen rasgos: son caras ausentes. Ellos son los más difíciles, porque hay que inventarlos, y entonces uno les hace un favor: no tienen personalidad, y yo les doy una. Deberían estarme agradecidos. No sé por qué, pero casi nunca lo están.» Una brusca carcajada burbujeó en el teatro. Mallarino esperó a que la sala regresara de nuevo al silencio respetuoso. «Casi nunca lo están, no. Pero uno se tiene que quitar de la cabeza la idea de que eso importa. Los grandes caricaturistas no esperan el aplauso de nadie, ni dibujan para conseguirlo: dibujan para molestar, para incomodar, para que los insulten. A mí me han insultado, me han amenazado, me han declarado *persona non grata,* me han prohibido la entrada a restaurantes, me han excomulgado. Y lo único que he dicho siempre, mi única respuesta a las quejas y a las agresiones, es así: las caricaturas pueden exagerar la realidad, pero no inventarla. Pueden distorsionar, pero nunca mentir.» Mallarino hizo una pausa teatral, esperó el aplauso y el aplauso llegó. Levantó entonces la cara, miró al gallinero y recordó haberlo ocupado antes, con dieciocho años, la primera vez que trajo a una novia al Colón (*Un ballo in maschera,* era la función que presentaban entonces), y luego bajó la mirada a la platea, buscando a Magdalena, queriendo ver en su cara la admiración que había visto alguna vez, esa admiración irrestricta que en otros tiempos fue su alimento y su objetivo, pero su mirada se quedó dando vueltas en el vacío como una polilla.

«¡No se muera nunca, Mallarino!», gritó una voz de mujer desde algún lugar de las primeras filas, quizás a su izquierda, y Mallarino salió de la ensoñación. La voz del grito era una voz madura, gastada por el cigarrillo acaso, acaso por toda una vida de gritar en teatros, y su tono perentorio fue recibido a carcajadas por el público. «¡Nunca!», gritó alguien desde atrás. Mallarino temió por un instante que el homenaje entero se convirtiera en un mitin político. «Ricardo Rendón, mi maestro», se apresuró a decir, «comparó una vez la caricatura con un aguijón, pero forrado de miel. Yo tengo esta frase en mi lugar de trabajo, más o menos como un marinero tiene una brújula. *Un aguijón forrado de miel.* La identidad del caricaturista depende de las medidas con que mezcle los dos ingredientes, pero los dos ingredientes siempre deben estar ahí. No hay caricatura sin aguijón, y no la hay sin miel. No hay caricatura si no hay subversión, porque toda imagen memorable de un político es por naturaleza subversiva: le quita su equilibrio al solemne y delata al impostor. Pero tampoco hay caricatura si no hay una sonrisa, aunque sea una sonrisa amarga, en la cara del lector...» Esto estaba diciendo Mallarino cuando su mirada náufraga se encontró con los ojos de Magdalena, con aquellas cejas delgadas que sólo se arqueaban así, así como ahora se arqueaban, cuando Magdalena estaba de verdad atenta: era una de esas mujeres que no pueden fingir interés, ni siquiera por coquetería. Una urgencia súbita lo invadió, un deseo brutal de bajar y estar con ella, oír la voz que no era de este mundo, hablar en susurros con el pasado. Mallarino frunció el ceño (otra vez el histrión, pensó, otra vez la representación de un papel) y acercó la boca al ojo de mosca del micrófono. «Quiero despedirme», dijo, «recordando una certeza que a menudo olvidamos: que la vida es el mejor caricaturista.

La vida nos labra nuestra propia caricatura. Tienen ustedes, tenemos todos, la obligación de hacernos la mejor caricatura posible, de camuflar lo que no nos guste y exaltar lo que nos guste más. El buen entendedor sabrá que no hablo solamente de rasgos físicos, sino del misterioso rastro que deja la vida en nuestras facciones, ese paisaje moral, sí, no hay otra manera de llamarlo, ese paisaje moral que se va dibujando en nuestro rostro a medida que la vida pasa y nos vamos equivocando o teniendo aciertos, a medida que herimos a los demás o nos esforzamos por no hacerlo, a medida que mentimos y engañamos o persistimos, a veces a costa de grandes sacrificios, en la siempre difícil tarea de decir la verdad. Muchas gracias».

Los periódicos del día siguiente fueron un inventario de elogios trillados. APOTEOSIS EN EL COLÓN, tituló *El Tiempo* en su sección cultural, y *El Espectador* prefirió mandar el asunto a la primera página: JAVIER MALLARINO ENTRA EN LA HISTORIA, se leía allí, las palabras flotando sobre una foto en blanco y negro, de grano grueso y de contrastes fuertes, tomada en contrapicado por un buen estudiante de Orson Welles. Esto fue lo que dijo Mallarino: «Un buen estudiante de Orson Welles». Magdalena, cuyo rostro emergía sin prisas del sueño, los delicados músculos moviéndose y acomodándose en la frente y en los pómulos y en el rictus de la boca, llenándose de expresión como se llena de forma al secarse una máscara de yeso, miró la imagen de Mallarino hablando detrás del atril con los brazos abiertos hacia el teatro, y opinó que si el fotógrafo estaba pensando en *Citizen Kane*, el modelo estaba pensando en *Titanic*. Recostado en un desorden de almohadas, Mallarino sólo podía preguntarse qué había pasado para que acabaran aquí, en su casa de la montaña, amaneciendo juntos y desnudos en la misma cama como no lo hacían desde otras vidas, y guardando los dos un silencio cuidadoso: no el de la costumbre y la cotidianidad, sino el silencio aprensivo que se guarda para no romper —con una torpeza, con una pregunta inoportuna, con un sarcasmo— el frágil equilibrio de los reencuentros. ¿Era esto un reencuentro? La palabra le pesaba en la lengua, como un sabor atascado desde la última comida: no, no había que hablar de lo ocurrido, cometer ese error de principiantes. Hablaban de otras cosas: del trabajo de ella en la emisora universitaria, del programa musical que dirigía y presentaba desde hacía varios años, tan agradable porque no le tocaba nunca lidiar con los vivos, con sus vanidades y sus pretensiones. Magdalena grababa su programa en un estudio pequeño de paredes ocre, y en aquella soledad ficticia (porque del otro lado del cristal estaba el técnico, y detrás del técnico, el ruido del mundo) leía el texto que ella misma, muchas veces con ayuda de quienes sabían más, había redactado. Las historias de las canciones, de eso se trataba el programa de Magdalena: de contarle a la gente quiénes eran Jude o Michelle, qué desgracias había detrás de *L'aigle noir*, a qué fracaso matrimonial se refería *Graceland*. Todo esto lo contaba ahora con la boca escondida bajo la cobija blanca, protegiéndose del frío matutino. Era fría, la casa de la montaña: hubiera sido una inexactitud científica decir que estaban en el páramo, pero estaban cerca; si uno salía a caminar, los árboles altos iban desapareciendo y no era imposible toparse con algunos frailejones. A Mallarino, además, le gustaba la idea de vivir en esas alturas, y la usaba con frecuencia para impresionar a los incautos, aunque fuera exagerada: *mi casa del páramo*. Levantó la cobija para espiar el cuerpo de Magdalena, y ella dio una palmada que hizo volar una pluma diminuta por los aires.

«No me jodas», dijo, «que me tengo que ir».

Todo era extraño: era extraño, como primera medida, que Magdalena reconociera lo extraño que era todo, que lo entendiera de la misma forma o pareciera entenderlo, y era extraño también el peso de su cuerpo sobre esta cama, distinto al de otros cuerpos y curiosamente suyo, y era extraña la familiaridad, la insolente familiaridad que sentían a pesar de tantos años de no estar juntos, y era extraña, en particular, la capacidad que tenía Mallarino de anticiparse a los movimientos de

Magdalena. «Hoy tengo un día terrible», dijo ella, «pero veámonos mañana, ¿quieres? Te invito a almorzar en el centro, para que no pierdas la costumbre». «Al centro no», dijo Mallarino. «A los de la montaña nos lloran los ojos.» «Qué flojo», dijo Magdalena. «Un poquito de contaminación, eso no le hace mal a nadie.» Y luego: «¿Me recoges en la emisora?» Y luego: «Digamos a la una». Mallarino dijo que estaba bien, que almorzarían mañana en el centro, que la recogería a la una en la emisora, que un poco de contaminación no le hace daño a nadie, y al mismo tiempo estaba lanzando predicciones privadas: ahora se acostará de lado, dándole la espalda, mirando a ninguna parte, y ahora saldrá de la cama en un solo movimiento diestro, un deslizarse hacia fuera que ni siquiera pasa por sentarse en el borde y desperezarse, y ahora caminará hasta el baño sin mirar atrás, o más bien dejándose mirar, segura de que Mallarino la miraría como la miraba ahora, comparando su cuerpo con el que había conocido años atrás y viendo las estrías de las caderas y las sombras de las nalgas y teniéndoles celos, porque las sombras y las estrías no eran sombras y estrías, sino mensajeros de todo lo que había sucedido en su ausencia: todo lo que Mallarino se había perdido. La noche anterior había sido como hacer el amor con una memoria, con la memoria de una mujer, y no con la mujer presente, igual que seguimos sintiendo, después de pisar una piedra con el pie desnudo, la forma de la piedra en el arco del pie. Eso era Magdalena: una piedra en su pie desnudo. La vio encerrarse en el baño y supo (un saber incómodo y a la vez tan satisfactorio) que no volvería a salir en un buen cuarto de hora. Y encontrándose allí, frente a un ventanal por donde ya entraban los bosques húmedos, rodeado de los periódicos que daban la noticia de su triunfo y esperando a que su mujer recuperada volviera junto a él, Mallarino sintió un raro sosiego. Se preguntó si era eso lo que sentía la gente feliz, y estuvo seguro de que así era unas horas más tarde, después de que Magdalena se hubiera despedido con un beso en la boca y él se hubiera quedado trabajando en la caricatura siguiente, cuando ladraron los perros y zumbó el timbre de la entrada y Mallarino se encontró con la periodista joven de la noche anterior, la que le había pedido una entrevista para un blog de nombre desconocido, y al hacerla seguir a la sala y ofrecerle una bebida se dio cuenta, no sin sorpresa, de que no tenía la más mínima intención de seducirla.

Se llamaba Samanta Leal. La noche anterior, durante el coctel que se había ofrecido en el bar del Teatro Colón para brindar por Mallarino y su condecoración, se le había acercado, una entre decenas, para pedirle que le autografiara el último de sus libros. Lo traía todavía cubierto por ese plástico antipático que tienen los libros en Colombia y que parece diseñado sólo para desanimar al lector y humillar al autor que, como Mallarino, intente abrirlo para escribir una dedicatoria. Mallarino, sus dedos húmedos por el rocío del vaso de whisky, fracasó estrepitosamente en la tarea; cuando la interesada le quitó el libro con ambas manos y se lo llevó a la boca y mordió una esquina del plástico, Mallarino se fijó en los largos dedos sin anillos y luego en los labios entreabiertos y luego en los dientes que mordían y luego en la boca entera, que se hacía un lío con el trozo desprendido y trataba de escupirlo educadamente con movimientos cómicos de una lengua muy rosada (Mallarino pensó: una lengua de niña). Debía de ser la emoción del momento, pero todo le pareció tan sensual, tan *concreto,* que se fijó especialmente en el nombre de la joven al escribir. «Para Samanta Leal», dijo, pronunciando las eles con cuidado, como para retenerlas, como si fueran a escaparse. «¿Qué quiere que le ponga?» «No sé», dijo ella, «ponga lo que quiera». Y él escribió: *Para Samanta Leal: lo que quiera*. Nada de lo que ocurriría con Magdalena había comenzado todavía —ella lo había felicitado cariñosamente, pero luego se había sentado en una silla de terciopelo rojo y se reía a carcajadas con un escritor costeño—, y Mallarino se sentía libre de fantasear con una treintañera atractiva y de actuar sobre esas fantasías. Ella leyó la dedicatoria; en lugar de dar las gracias y despedirse, frunció los labios de una forma que a Mallarino le hizo pensar en una fresa recién lavada. «Pues lo que quiero», lo sorprendió Samanta Leal, «es una entrevista». Balbuceó el nombre del medio, una palabra inglesa, fea y llena de consonantes; él dijo que no sabía nada de blogs, que no le gustaban y no los leía, y que más bien le generaban desconfianza. Si a pesar de todo eso ella seguía interesada, la esperaba en su casa mañana, a las tres en punto de la tarde, para que hiciera lo que pudiera hacer en cuarenta y cinco minutos y luego lo dejara libre de volver al trabajo.

Y ahora estaba aquí, la tal Samanta Leal. Llevaba unas medias de lana verde, una falda gris que no le llegaba a las rodillas y una blusa blanca, lisa como un lienzo de Malevich, cuyo único adorno era el cambio de relieve del lugar donde comenzaba el brasier. Los ojos que habían sido oscuros la noche anterior, bajo las tenues lámparas del bar, eran ahora verdes, y se abrían generosamente para escrutar las paredes con esa mezcla de embeleso y decepción con que se observan los lugares de quienes admiramos. Había algo impaciente en su manera de sentarse y cruzar la pierna, una cierta intranquilidad, una electricidad incómoda; y cuando empezó a hacer preguntas sueltas (¿desde cuándo vivía en esta casa?, ¿por qué había decidido irse de Bogotá?), Mallarino pensó lo mismo que había pensado antes: que la entrevista era un pretexto. Con el tiempo había aprendido a reconocer las dobles intenciones de quienes se le acercaban: la entrevista, la dedicatoria, la breve conversación, sólo eran una estrategia idónea para fines muy distintos: una recomendación para conseguir trabajo, el favor de que dejara en paz a algún político, el sexo. Se divirtió (pero era una diversión consternada) haciendo apuestas consigo mismo sobre Samanta Leal y el desenlace de esta visita, sus diversos grados de desnudez o vergüenza. La joven hacía preguntas, y el desorden, la ausencia de método, no era el único de sus rasgos que parecía un doblez: en la calma de su casa de la montaña, el acento de Samanta Leal le revelaba a Mallarino músicas insólitas que la noche anterior no le había sido posible notar. Ella miraba las paredes y él la miraba mirar, viendo su propia casa a través de aquellos ojos extrañados, descubriendo, al tiempo que los descubría ella, los sapos vestidos de Débora Arango, el cuadro rojo de Santiago Cárdenas o un paisaje de Ariza, entre boyacense y japonés. La miraba y buscaba en su rostro emoción o sorpresa, pero nada de eso encontraba: Samanta Leal recorría los cuadros como viendo una ausencia, como si entre ellos faltara el que le interesaba realmente. «Fue en 1982», dijo Mallarino. «Me cansé de Bogotá, simplemente, me cansé de muchas cosas. Compré esta casa y dos perros, dos pastores alemanes, un macho y una hembra, que luego tuvieron a los que hay ahora. Los del lucero en la frente, todos igualitos. Claro que no están todos: me quedé con dos y a los demás los vendí, comen por veinte y los míos son como caballos de grandes, no sé si los haya visto.» Samanta Leal dijo que sí, que los había visto y les había tenido un poco de miedo, la verdad. «No, miedo no», dijo Mallarino. «No escriba esto en su entrevista, pero mis perros son de lo más cobarde que existe: no sirven para cuidar nada.» Y Samanta: «No lo escribo. Prometido. ¿1982, me dice?» Y Mallarino: «Sí, eso. 1982, como a mediados. Hace frío, pero es que a mí me gusta el frío. El páramo comienza aquí cerca, ¿sabe? Uno sube un poco por la montaña y ahí comienza».

Samanta había sacado tres cosas de su cartera aguamarina: un encendedor de aluminio opaco, una libreta de bolsillo y una pluma del mismo color que la cartera. Puso el encendedor sobre la mesa, y Mallarino comprendió que no era un encendedor, sino una diminuta grabadora digital. Hizo algún comentario al respecto —«en mi época sólo se tomaban notas», quizás, o quizás «ya los periodistas no confían en su memoria»—, y Samanta le preguntó cómo se llevaba con la tecnología, si acostumbraba usar ayudas digitales. «Nunca», dijo Mallarino. «No me gustan. Ni siquiera corrijo digitalmente, que es algo que hacen muchos. Yo no. Yo dibujo a mano, y lo que sale, sale. Las ayudas digitales hacen que todo se vuelva aburrido, predecible, monótono. Uno puede aburrirse en este oficio, señorita, y tiene que inventarse trucos para que eso no pase. Por ejemplo, yo a veces me pongo retos: hacer toda una caricatura sin levantar la mano del papel, o dibujar al fondo, detrás de la escena principal, una reproducción en miniatura de una obra maestra. La gente no se pregunta por qué detrás de Chávez está un Rembrandt o un Rafael… Así que no, no me venga con tecnologías. Eso no es para mí.»

«¿Y para mandarlas?»

«¿Para mandarlas qué?»

«¿No usa un computador?»

«No tengo computador. No uso internet, no tengo correo electrónico. ¿No lo sabía? Soy famoso por eso: absurdamente famoso, si quiere que le diga mi opinión. Yo no veo qué tiene esto de raro. Tengo seis o siete suscripciones en tres lenguas: un montón de papel que nunca termino de leer del todo. Con eso y la televisión me basta para mantenerme informado. Tengo cable, eso sí, tengo más canales de noticias de los que necesito, y puedo incluso poner pausa para verle mejor la cara a alguien.»

«¿Pero cómo las manda, entonces? ¿Cómo manda las caricaturas?»

«Al principio las llevaba yo, claro. Luego comencé a usar el fax, lo usé durante años. Ahora lo uso para comunicarme con la gente. Ese aparato es mi correo personal: si usted quiere escribirme, lo hace por fax, y yo le contesto por fax. Es muy simple. Pero antes lo usaba para mandar las caricaturas. No funcionó. Se quebraba la línea, ¿sabe? Los amigos llamaban preocupados: "¿Estás enfermo, te pasa algo? Se te está quebrando la línea". Ahí empezaron a recogerlas.»

«¿Quiénes?»

«El periódico manda un mensajero. Siempre ha habido un mensajero que va por la ciudad recogiendo y llevando papeles, y a eso le dicen la Chiva. Y cuando viene a recoger mi dibujo, le dicen la Chiva de Mallarino.»

«Pero usted vive lejos», dijo Samanta. «Hay que cruzar toda la ciudad. ¿Y hasta aquí vienen?»

«Son muy amables», dijo Mallarino.

«Lo consienten mucho», dijo Samanta.

«Supongo que sí», dijo Mallarino.

«Debe ser que usted es importante», dijo Samanta con una sonrisa.

«Debe ser.»

«¿Y qué se siente?»

«Qué se siente qué.»

«Ser importante. Ser la conciencia de un país.»

«Mire», dijo Mallarino, «vivimos tiempos desorientados. Nuestros líderes no están liderando nada, y mucho menos están contándonos qué es lo que pasa. Ahí entro yo. Le cuento a la gente lo que pasa. Lo importante en nuestra sociedad no es lo que pasa, sino quién cuenta lo que pasa. ¿Vamos a dejar que sólo nos lo cuenten los políticos? Sería un suicidio, un suicidio nacional. No, no podemos confiar en ellos, no podemos quedarnos con su versión. Nos toca buscar otra versión, la de otra gente con otros intereses: la de los humanistas. Eso es lo que yo soy: un humanista. No soy un chistógrafo. No soy un pintamonos. Soy un dibujante satírico. Eso tiene sus riesgos también, por supuesto. El riesgo del dibujo es convertirse en analgésico social: las cosas dibujadas se vuelven más comprensibles, más asimilables. Nos duele menos enfrentarlas. Yo no quisiera que mis dibujos hicieran eso, claro que no. Pero no sé si se pueda evitar».

Samanta recibía diligentemente el dictado. Mallarino la veía copiar en su libreta y repasar con los ojos lo escrito, esos ojos grandes incluso bajo el techo del ceño grave. «¿Podemos pasar a su estudio?», preguntó ella, y Mallarino asintió. Le indicó un corredor oscurecido y, al fondo del corredor, unas escaleras de madera encerada; la dejó avanzar primero, en parte por caballerosidad, en parte para buscar en su falda las formas de su cuerpo cuando comenzara a subir los peldaños. Mallarino había dado muchas entrevistas en los últimos tiempos, pero esta vez, por alguna razón, era distinta: esta vez quería hablar. Se sentía locuaz, comunicativo, abierto y dispuesto a dejarse ver. Quizás era la impresión reciente de su noche con Magdalena, o quizás la noción de que la vida, a partir de esta mañana, era una vida distinta, pero de repente se había puesto a contar anécdotas, a hacer lo que nunca hacía: hablar de sí mismo. Habló del día en que un alcalde cambió de opinión después de terminado un dibujo, y Mallarino resolvió el asunto dibujando otro globo con cuatro palabras cortas: *O tal vez no*. Habló del empresario que lo llamó una vez a pedirle que dejara de dibujarlo como era antes: ya se había cambiado las gafas ridículas, ya se había corregido la dentadura protuberante, pero Mallarino lo seguía dibujando igual: ¿no era una injusticia? «Una vez no se me ocurrió nada», dijo Mallarino. «Es raro, pero pasa. Me pinté a mí mismo con la taza de café, con el papel en blanco y un globo con el bombillo de las ideas totalmente apagado. Mandé una nota al editor que decía: mire, no se me ocurrió nada. Tengo que entregar una caricatura y no se me ocurre nada. Lo siento. Usted verá si la publica o qué. La caricatura se publicó. Al día siguiente empecé a recibir llamadas de felicitaciones. Todo el mundo me felicitaba. Resulta que el día antes de la caricatura hubo un apagón gravísimo en uno de los barrios más pobres de Medellín. La caricatura se interpretó como crítica: la indolencia de la Administración, etcétera. Yo nunca los desengañé.»

Habían llegado al estudio. La luz de la tarde entraba por la ventana que daba a la ciudad, esa luz untada de bruma, de humos sucios, como si llegara cansada del otro lado de la sabana. «El centro de creación», dijo Samanta Leal, deteniéndose en medio del cuarto, justo debajo de una claraboya que le derramaba encima aquella luz ya escasa, y girando sobre sí misma, triste cariátide extraviada, para devorar con los ojos el archivador de juzgado, gris y metálico y sonoro, que vigilaba la habitación desde una esquina, y luego la repisa de los instrumentos, la silla hidráulica y la mesa de trabajo, un tablón de madera con veintidós grados precisos de pendiente que se recostaba como una rampa para subir a una pared de corcho, o para que de la pared de corcho bajaran, como por un tobogán, los recortes de noticias, los bocetos, las listas de cosas por hacer y las fotos de las figuras públicas del momento, víctimas o beneficiarios (sobre todo víctimas) de las caricaturas. «¿Puede prender la luz?», preguntó Samanta. «Ya no se ve nada.» Solícito (pero por qué tanto, por qué con tanto entusiasmo), Mallarino buscó el interruptor; dos lámparas de luz halógena se encendieron en el techo y una pared atiborrada de marcos apareció de la nada. «Es mi altar», dijo Mallarino. «Yo trabajo mirando a la pared de corcho: ahí está mi tarea diaria, lo que estoy haciendo en el momento. Pero cuando las cosas se ponen jodidas, cuando empiezo a preguntarme por qué carajos me metí en esto, o cuando la realidad se pone tan cochina que es como si no se mereciera ni un dibujo... entonces vengo y me paro aquí, frente a esta pared. Un par de minutos, eso es suficiente. Es como la confesión para un católico, me imagino. Todos estos son mis curas personales, los que me oyen, los que me dan consejo. ¿Quiere que le explique?»

Pero ella no le respondió. «¿Quiere que le explique esta pared, señorita?», insistió Mallarino, pero Samanta había dejado de mirarlo y tomar notas, y su expresión ya no era diligente y atenta, sino que había adquirido de repente una expresión concentrada y a la vez vacía, como la de un loco. «Ah, sí», se le oyó decir para nadie, «aquí está». Fueron cuatro palabras, o más bien tres palabras y una interjección, y nadie las hubiera creído capaces de inaugurar con su sola fuerza una noche tan larga. Veinticuatro horas después, recordando ese instante preciso, él admiraría la compostura con que Samanta caminó hasta la pared para mirar más de cerca una de las ilustraciones, como si hubiera descubierto a un caricaturista nuevo en lugar de estar asomándose al despeñadero de su desgracia. Mallarino supo que ya no le hablaría de Ricardo Rendón ni discutiría con ella lo del aguijón forrado de miel, que ya no le explicaría el dibujo de James Gillray donde Napoleón corta un buen trozo del pastel de Europa, que ya no le enseñaría las cabezas grotescas de Da Vinci ni mencionaría a Porta y a Lavater, para quienes el carácter de un hombre puede encontrarse en la estructura de su cara. Lo supo, lo supo con toda convicción, cuando la vio darse la vuelta allí, frente a la imagen del rey

Louis-Philippe como la dibujó Daumier en 1834. En aquella cabeza con forma de pera cabían, milagrosamente, tres rostros: uno joven y contento, otro pálido y amargado, otro ensombrecido y triste. El conjunto era grotesco, algo que nadie quisiera encontrarse por sorpresa en mitad de la noche. Y en lugar de preguntar quién era el caricaturista o quién el pobre caricaturizado, en lugar de aceptar explicaciones sobre la forma de la cabeza y la triple expresión del rostro, Samanta comenzó a decir con voz cansina que la disculpara, señor Mallarino, que hasta ahora le había estado mintiendo y toda esta visita era una gran impostura, pues ella no era periodista, ni le interesaba entrevistarlo, ni era su admiradora, pero había tenido que inventar la mentira entera, la falsa identidad y el interés fingido, para entrar en esta casa y recorrerla y buscar en ella la cabeza rara que había visto una sola vez con anterioridad, muchos años atrás, cuando era niña y su vida estaba hecha de certezas, cuando era niña y tenía toda la vida por delante.

II.

Hay mujeres que no conservan, en el mapa de su cara, ningún rastro de la niña que fueron, quizás porque se han esforzado mucho en dejar la niñez atrás —sus humillaciones, sus sutiles persecuciones, la experiencia de la desilusión constante—, quizás porque entretanto ha sucedido algo, uno de esos cataclismos íntimos que no moldean a la persona sino que la arrasan, como a un edificio, y la obligan a construirse de nuevo desde los cimientos. Mallarino miraba a Samanta Leal y trataba de cazar en sus facciones alguna forma (la curva del hueso frontal al llegar al entrecejo, la manera en que el lóbulo de la oreja se une a la cabeza) o acaso una expresión de la niña que había visto veintiocho años atrás. Y no lo lograba: esa niña se había ausentado, como si hubiera renunciado a seguir viviendo en este rostro. Aunque era cierto, por otra parte, que la había visto tan sólo una vez y por espacio de pocas horas, y acaso su memoria, que siempre le permitió evocar los rasgos esenciales de cualquier cara con una precisión de cirujano, ya empezaba a deteriorarse. Si así fuera, el deterioro no podía ser más inoportuno, pues ahora Samanta Leal, de cuyo rostro se había esfumado una niña, le pedía urgentemente que recordara a esa niña y su visita a la casa de la montaña en julio de 1982, y no sólo eso, sino que le pedía también recordar las circunstancias de esa visita ya remota, los nombres y las señas particulares de quienes estaban presentes esa tarde, todo lo que Mallarino vio y escuchó pero también (si era posible) lo que los demás vieron y escucharon. «Acuérdese, por favor», le decía Samanta Leal. «Necesito que haga memoria.» Y él pensaba en ese giro curioso, *hacer memoria,* como si la memoria fuera algo que fabricamos o pudiera conjurarse, a partir de ciertos materiales bien escogidos, con la mera fuerza del trabajo físico. La memoria sería entonces una de esas fuentes horribles que salen de las canteras de los cerros y se venden al borde de la carretera, y cualquiera podría traerla a la vida si tuviera el talento y las herramientas y la terquedad. Mallarino sabía bien que no era así, y sin embargo aquí estaba ahora, tratando de sacar la escultura de la piedra, sentado frente a la mujer expectante junto a la ventana ya oscurecida: la casa entera se inclinaba sobre la ciudad encendida, como espiándola; Mallarino veía las puntadas luminosas sobre el fondo negro (la ciudad convertida en una tela bordada que miramos a contraluz) y, a la distancia, flotando en el aire nocturno, los aviones que aguardaban su turno para aterrizar; y pensaba en los hombres y mujeres que en este momento ocupaban esos espacios iluminados y trataban, como él, de recordar, recordar algo importante, recordar algo banal, pero recordar siempre, pues a eso nos dedicamos todos todo el tiempo, en eso se nos van las exiguas energías. *Es muy pobre la memoria que sólo funciona hacia atrás,* pensó de nuevo, y de nuevo se preguntó de dónde salían esas palabras. Aquí se trataba de eso, de mirar hacia atrás y traer lo pasado hasta nosotros. «Acuérdese, por favor», le había dicho Samanta Leal. Poco a poco, memoria a memoria, Mallarino se estaba acordando.

Por esos días acababa de mudarse a la casa de la montaña. La mudanza había sido, más que un mero cambio de lugar, una suerte de último recurso, un intento desesperado por preservar, mediante la estrategia de la separación y la distancia, el bienestar de la familia. ¿Cuándo había comenzado a fraguarse este momento? ¿Con el anónimo amenazante, quizá, con ese violento desequilibrio que le había seguido? Por primera vez Magdalena le había hecho la pregunta que él, calladamente, se hacía todos los días: ¿valía la pena? ¿Valían la pena el miedo y el riesgo y el antagonismo y la amenaza? «No lo tengo claro», dijo Magdalena. «No tengo claro que valga la pena. Tú sabrás, pero piensa en la niña. Y piensa en mí. No sé si valga la pena.» Mallarino recibió sus palabras como una traición, una traición mínima, pero traición al fin y al cabo. ¿Había comenzado entonces el deterioro lento e imperceptible de la pareja, este monstruo de dos jorobas que durante más de una década se había comportado tan bien? Pero era imposible decirlo, pensaba Mallarino, imposible extender los años de matrimonio como un itinerario sobre una mesa y encerrar en un círculo de tiza el momento preciso, tal como el poeta Silva le pidió a su médico que encerrara en un círculo el lugar exacto de su corazón. Por supuesto que Silva, tras la visita médica, llegó a su casa y se quitó la camisa y se pegó un balazo en el centro del círculo: para eso había buscado la lección de anatomía, para suicidarse con eficiencia. Mallarino la hubiera querido para otra cosa: para reparar, para eliminar de la cadena de la vida el momento nocivo, ese primer comentario que ya no era impaciente sino hostil, esa primera respuesta bañada en sarcasmo, esa primera mirada vacía de toda admiración.

Sí, eso era: la admiración se había caído de los ojos de Magdalena. Se dio cuenta de que la admiración de su mujer lo había alimentado siempre, y encontrarse de repente sin ella fue demasiado parecido a una bofetada en público. La revelación le resultó fascinante y a la vez despiadada: la experiencia de la necesidad, la pérdida de la perfecta independencia que Mallarino había cultivado toda la vida, lo desequilibró más de lo que hubiera previsto. «Yo no me caso con nadie», solía decir: era uno de sus refranes, una guía de conducta, y Mallarino había echado mano de ella varias veces para justificarse. Cuando su caricatura atacaba a un amigo de la familia, o a un socio de su padre (arruinando un negocio, poniendo a su padre en entredicho, presentándolo ante el mundo como el hombre que era incapaz de granjearse la lealtad de su hijo), Mallarino recibía los reclamos más o menos airados con esforzada indiferencia, poniendo su arte y su compromiso —esas palabras usaba: sentía que lo protegían— por encima de las observancias meramente personales. «¿Meramente personales», le dijo Magdalena una vez. «*¿Meramente personales?* Pero es que son nuestros amigos, Javier.» «Pues cambiamos de amigos», repuso él.

«¿Y la familia? ¿También cambiamos de familia?» «Si toca, toca», dijo Mallarino. «Mi credibilidad está en juego.» *Mi reputación está en juego,* pensaba sin decirlo. Y los sacrificios habían servido: la reputación estaba allí, la buena reputación y también el prestigio: Mallarino se los había ganado a pulso; él no se casaba con nadie.

Los sacrificios: ¿quién había usado por primera vez esa palabra, y en qué circunstancias? Era cierto que ya no frecuentaban los restaurantes del norte, pues corrían el riesgo de encontrarse con la víctima de una caricatura o con sus allegados más o menos agresivos, y era cierto que en los almuerzos familiares del domingo se había instalado una suerte de tensión permanente, una incomodidad general e innombrable como la que nos agobia cuando hay un moribundo en la pieza contigua, pero no era menos cierto, y esto lo sentía Mallarino, que la gente (esa abstracción, una multitud de vagos rostros sin facciones) lo respetaba y lo quería. «Y me necesitan», dijo una vez. «Necesitan alguien que les diga qué pensar.» «No seas ingenuo», le dijo Magdalena. «La gente ya sabe lo que piensa. La gente ya tiene su prejuicio bien formado. Sólo quiere que alguien con autoridad le confirme el prejuicio, aunque sea la autoridad de mentiras que tienen los periódicos. Ahí está tu prestigio, Javier: le das a la gente con qué confirmar lo que ya piensan.» Lo pensó un instante, pareció que lo pensaba, y luego añadió: «Hubieras podido ser un gran artista. Un Botero. Un Obregón. Hubieras podido ser uno de los de ahora, un Luis Caballero, un Darío Morales. Escogiste ser otra cosa. Escogiste ser esto: alguien que nos mete en problemas, que nos obliga a pelearnos con todo el mundo, o que obliga a todo el mundo a pelearse con nosotros». ¿En qué momento había cambiado tanto Magdalena? ¿Cuándo había dejado de ser la mujer independiente que se había enfrentado a la censura de un director? «Yo no quiero que mi hija crezca rodeada de gente que está peleada con ella», dijo Magdalena. «No quiero que le caiga mal a gente que ni siquiera la ha visto.» Quizá fue entonces cuando Mallarino le puso palabras a la acusación: «No metas a la niña en esto», le dijo. «El problema es mucho más sencillo. El problema es que ya no me admiras.» Por toda respuesta, Magdalena soltó un resoplido de caballo que concentró, en ese instante, todo el desprecio del mundo y todo el deterioro, invisible pero terco, de su relación.

Mallarino recordaría siempre el afán de buscar a Beatriz con la mirada para saber si había sido testigo de la escena, si se había percatado del desaire. Lo maravillaba que su hija, con sus siete años recién estrenados, compartiera con ellos los espacios del naufragio sin enterarse de que su vida comenzaba a ser otra; lo maravillaba que su pequeño cuerpo de piernas largas se moviera por las habitaciones con tanto desparpajo, que sus ojos, bajo las cejas arqueadas y heredadas de su madre, escrutaran el mundo, el infinito mundo de la familia, silenciosa pero intensamente, en ese aprendizaje feroz y hambriento de las vidas nuevas, y todo eso sin la conciencia plena de que aquellos días —los gritos y susurros de las disputas nocturnas, los desayunos tensos donde se oía demasiado el ruido de los cubiertos en los platos— la iban a marcar sin remedio, quizá sembrando en la relación con sus padres una semilla de ardua desconfianza, quizá distorsionando desde ahora y para siempre su manera de amar o de ser amada. Mallarino, mientras tanto, atravesaba los días con un cansancio de muerte, y le parecía que su cuerpo, al desplazarse por los terrenos familiares de su casa, iba dejando trozos de piel seca, como una serpiente, como un leproso. Había en el apartamento un ambiente de nerviosismo o ansiedad. Cuando Beatriz comenzó a lamerse las manos porque las tenía resecas (con el único resultado de que la saliva las resecaba más, y más se las lamía la niña), Mallarino supo que era tiempo de apartarse, pues su presencia bienintencionada, esa inercia de los años en familia, sólo estaba ayudando a empeorar las cosas. Debía irse. Una noche, frente al televisor, se lo dijo a Magdalena. Ella estaba sentada sobre su almohada, las piernas cruzadas como un niño turco, la mirada fija en la pantalla. Estaban pasando *El hijo de Ruth:* a Magdalena le habían ofrecido un papel, pero ella no era actriz, no sabía qué hacer con la cara, con las manos, y rechazó la oferta. «Yo soy de radio», les había dicho, «sólo de radio». Ahora se arrepentía.

«Me voy un tiempo, un tiempo corto», dijo Mallarino. Magdalena estuvo de acuerdo.

«Sólo un tiempo. A ver qué pasa.»

«Es mejor así, es mejor para todos.»

«Hay que pensar en la niña.»

«Sí. Hay que pensar en la niña.»

Tardó poco en encontrar la casa de la montaña. Era una oportunidad única, pues la propiedad hacía parte de una sucesión inconclusa que tardaría unos tres años en fallarse, de manera que Mallarino, con ayuda de los abogados del periódico, pudo firmar un contrato en condiciones inusuales y extrañamente favorables: adquirió la posesión de la casa y comenzó una serie de remodelaciones necesarias, y hasta que saliera la sucesión pagaría un canon equivalente a un arrendamiento barato; si los resultados del fallo de sucesión no eran los esperados, si la vendedora perdía la propiedad de la casa y la compraventa quedaba sin efecto, Mallarino recibiría de vuelta todo lo pagado, incluidas las reformas. El acuerdo parecía diseñado a su medida: Mallarino confiaba en que su separación de Magdalena sería breve —cuando trataba de ponerle un plazo, con base en lo que les había sucedido a otras parejas conocidas, pensaba en meses, acaso un año, dos en el peor de los casos—, y secretamente deseaba que la sucesión pendiente fracasara, como si aquella situación jurídica tuviera un vínculo secreto con la salud de su matrimonio. A finales de junio, entre las caricaturas dedicadas a un futbolista argentino que había sido expulsado escandalosamente (una gran mota de pelo negro y un traje de karateca) y a la primera ministra británica (la sonrisa de dientes grandes, la armadura medieval, la bandera plantada en una isla desierta), Mallarino compró en el Sears una cama de treinta mil pesos y un televisor a color, metió dos millares de libros en cajas de cartón y envolvió su mesa y sus instrumentos de trabajo en papel de burbujas. También se encargó él mismo de los marcos que conformaban su colección de fetiches: la frase *Un aguijón forrado de miel* que un carpintero le había pirograbado sobre un retablo, las reproducciones de Daumier —*Le ventre législatif* y *Le passé, le présent, l'avenir*—, el óleo de Magdalena llevando a Beatriz en los brazos como una Virgen de Bellini y el dibujo de Rendón, viejo regalo de aniversario, en que el comisario pregunta al comunista si con esas bombas pensaba matar al presidente y el comunista responde: «No, señor. Esperaba que al presidente lo matara el remordimiento».

Todo se hizo con cuidado, como se mueve una mesa que lleva un jarrón encima: nadie quería cometer una torpeza, ser culpable de un destrozo sin remedio. A Beatriz le explicaron que de ahora en adelante tendría dos casas, dos cuartos, dos lugares donde jugar, y ella escuchaba con paciencia pero sin mirarlos, mientras hacía estallar las burbujas de plástico con la pinza de su índice y pulgar, dos dedos intensamente concentrados. «Se hace la que no le importa, pero está sufriendo», decía Magdalena. Y Mallarino: «Pero es mejor así». Y Magdalena: «Sí. Es mejor así». Para cuando comenzaron las vacaciones de la niña, ya la mudanza estaba completa; Beatriz se acostó por primera vez en su nueva cama, con el uniforme del último día de colegio arrugándose contra las sábanas y con los párpados temblorosos por los demasiados dulces de la despedida, y Mallarino la acompañó con la cabeza en su almohada, respirando su respiración, hasta confirmar que se hubiera quedado dormida. Pensó quc haría una reunión de amigos para celebrar la mudanza, no porque la mudanza fuera algo digno de celebraciones, sino porque un acto social y público normalizaría la situación a los ojos de la niña, le quitaría todo lo que tuviera de vergonzante, la convertiría en algo aceptable de lo cual se puede hablar con las amigas. Hizo unas cuantas llamadas, pidió a sus conocidos que hicieran otras, le dijo a Beatriz que invitara a una compañerita de la clase. El domingo siguiente, a la hora del almuerzo, la casa nueva hervía de gente, y Mallarino se felicitaba por haber tenido aquella idea estupenda. Nada le hubiera permitido anticiparse a lo que sucedió después.

Era un día de sol, un sol fuerte y seco y raro para esta época del año, y las puertas de la casa estaban abiertas de par en par. Por encima de sus cabezas corría un fantasma de viento, audible en las hojas de los eucaliptos, en los quejidos de las ramas largas. Mallarino recorría el piso de abajo con una sensación alienada, como si él fuera el visitante y no los otros. Nunca había sido anfitrión de una fiesta. Las fiestas las organizaba Magdalena: era ella quien escogía la comida y cambiaba el lugar de uno o dos muebles para facilitar la circulación de la gente, y era ella quien recibía a los invitados y les quitaba las chaquetas y las dejaba, con meditado descuido, sobre la cama matrimonial, y era ella quien se encargaba de las presentaciones, de la frase casual que inicia una conversación entre dos personas que nunca se han visto, y la gente se prestaba invariablemente a aquellos juegos, inconsciente del poder que la voz de Magdalena ejercía sobre ellos y a veces ignorante de que esa voz era la misma que los había hechizado desde alguna emisora de radio en algún solitario momento de la semana. (Muchas veces había pensado que el cariño de la gente por Magdalena se debía a eso: la habían escuchado en momentos de melancolía o de soledad, y su voz les había contado historias y los había tranquilizado y les había permitido no pensar en sus problemas, en su último fracaso, en la falsedad de su éxito. Luego llegaban a verla y no lograban explicarse por qué su personalidad les resultaba tan magnética o su manera de hablar tan atractiva.) Pero hoy Magdalena no estaba. Se había negado —sutil, afectuosamente— a venir. Le había parecido que era mejor así, para que Beatriz se fuera acostumbrando a la división de su vida, a habitar universos paralelos donde uno de sus dos padres no existía y no tenía por qué existir. Beatriz, por su parte, parecía llevar el asunto con naturalidad: había salido a la puerta cuando llegó su amiga, plenamente apoderada de su papel de dueña de casa, y ella misma le preguntó a la madre si Samanta se podía quedar a dormir. Samanta Leal, se llamaba la amiga de Beatriz: una niña más tímida que ella, de profundos ojos verdes, boca pequeña pero carnosa y una de esas narices que no han comenzado todavía a anunciar lo que serán después, todo enmarcado por un flequillo de muñeca vieja. Llevaba una faldita gris de niña de colegio (Mallarino pensó que esas rodillas no estarían tan limpias ni tan sanas al final de la tarde) y unos zapatos de charol vinotinto sobre medias cortas. No se parecía en nada a su madre, que entró brevemente a la casa —entró como entran las madres en las casas: para ver que todo estuviera o pareciera bien, para cerciorarse, en la medida de lo posible, de que su hija no corría ningún peligro en este ambiente desconocido— y miró las paredes desnudas y los cuadros recostados, algunos todavía envueltos en sus papeles protectores. «Me acabo de pasar», le dijo Mallarino (una explicación no pedida). «Sí, yo sé», dijo la mujer, pero no aclaró cómo lo sabía. Llevaba botas de cuero marrón que le llegaban hasta la rodilla y un abrigo de tonos ocres, y en la solapa del abrigo, un prendedor de plata con forma de libélula. «Entonces no está su esposa», dijo la mujer, y luego intentó rehacer la frase: «La mamá de Beatriz, digo. ¿No está?»

«Viene más tarde», dijo Mallarino. No era verdad: Magdalena vendría a recoger a Beatriz al día siguiente. Pero Mallarino sintió que aquella mentira blanca era conveniente en ese momento, que tranquilizaría a la madre de Samanta o le evitaría preocupaciones innecesarias.

«¿A recoger a la niña?»

«Sí, a llevársela. Pero eso es más tarde, las niñas tienen tiempo de jugar.»

«Ay, pues mejor. Bueno, el papi de Samanta viene por ella. Yo no vengo, viene él. ¿A qué hora está bien?»

«A la hora que quiera», dijo Mallarino, «pero que venga con tiempo. Si Samanta es como mi hija, le va a costar un buen rato sacarla de aquí».

La mujer no respondió al humor de Mallarino, y él pensó: *es una de esas*. Lo confirmó en el momento de despedirse, cuando, después de darle la mano y empezar a marcharse, la mujer giró medio cuerpo y, casi por encima del hombro, le preguntó: «Usted es el caricaturista, ¿no?»

«Yo soy el caricaturista», dijo Mallarino.

«Sí, usted es», dijo la madre de Samanta. «Es que yo averigüé para dónde venía.» Pareció que iba a decir algo más, pero lo que siguió fue un silencio incómodo. Ladró un perro. Mallarino lo buscó sin éxito; vio que había llegado un invitado más. «Bueno, le recomiendo a la niña», dijo la mujer. «Y que gracias.»

Y ahora Mallarino las había perdido de vista. Las veía pasar de vez en cuando, de vez en cuando escuchaba y reconocía la voz de Beatriz, su delicado tintineo inconfundible, y de vez en cuando sentía, con alguna parte de la conciencia, los pasos de las dos niñas juntas, los pasos inquietos y rápidos y ajenos, tan ajenos, al mundo de los adultos. Mallarino se sirvió un whisky, tomó un trago con sabor a madera y sintió un ardor en la boca del estómago. Salió al pequeño jardín donde los invitados parecían más de los que eran en verdad, y levantó la cara y cerró brevemente los ojos para sentir el sol, y así, con los ojos cerrados, contó una, dos nubes, o dos sombras que pasaron corriendo por el telón del cielo. Le gustaba este jardín: Beatriz podría pasar buenos ratos aquí. En los escalones tuvo que tener cuidado de no patear un cenicero lleno de colillas muertas; más allá, junto al muro, alguien había dejado caer un pedazo de carne que ahora ensuciaba el lugar, como los excrementos de un perro. Junto al rosal estaba Gabriel Santoro, el profesor del Rosario, que había traído a su hijo y a una amiga extranjera, y más allá, cerca de un montón de tejas y baldosas que habían sobrado tras las obras y nadie se había llevado todavía, Ignacio Escobar hablaba con la presentadora de un noticiero y su novio más reciente. Monsalve, tal vez, o tal vez Manosalbas: a Mallarino se le olvidaba el nombre. ¿Era posible que hubiera menos conocidos que desconocidos en esta reunión? Y si así fuera, ¿qué significaba eso? «Ah, por fin», le dijo Rodrigo Valencia al verlo llegar. «Venga, Javier, venga y brinde con nosotros, carajo, o es que usted no habla con sus invitados.» Rodrigo Valencia no tuteaba nunca, ni siquiera a sus hijos, pero su manera de hablar era tan física —hecha de interjecciones y palmadas, de manos pesadas en los hombros, de histriónicas inclinaciones de su cuerpo grueso— que nadie echaba de menos su cercanía o su confianza. Abrazó a Javier y dijo: «Este va a ser el más grande, acuérdense de mí. Ya es un grande, pero va a ser el más grande. Acuérdense de mí». Los destinatarios de la profecía, cada uno con una copa de aguardiente en la mano, eran Elena Ronderos, la mujer de Valencia, y un columnista de *El Independiente*, Gerardo Gómez, que acababa de volver de un exilio de dieciocho meses en México. Igual que Mallarino, había recibido un anónimo amenazante; pero en su caso, por razones que nadie entendía muy bien, la policía había considerado prudente que se fuera a alguna parte mientras se calmaban las cosas. «Mientras se calman las vainas, así me dijeron», decía Gómez. «¿A usted no? ¿Nunca le dijeron que se fuera?»

«Nunca», dijo Mallarino. «Quién sabe por qué.»

«Será porque los dibujos no son tan directos», dijo Gómez.

«Pero los ve más gente», dijo Valencia.

«Pero no son tan directos», dijo Gómez. «Y el fuerte de esta gente no es la sutileza. Oiga, Javier, ¿y qué pasa si vuelven a mandar algo?»

«No van a volver a mandar nada», dijo Mallarino. «Ya vamos para un año entero.»

«¿Pero y si vuelven a mandar algo? Usted tiene que pensar qué va a hacer.»

«No van a mandar nada», dijo Mallarino.

«¿Por qué está tan seguro?», dijo Gómez. «¿Se nos va a poner blando, o qué?»

«Blando será su papá», le dijo Valencia, a quien se le permitían esas salidas de tono. «¿No vio la caricatura del domingo pasado? Una carga de profundidad, Gómez, una carga de profundidad, y no lo digo porque Mallarino esté aquí. El dibujo era una maravilla, digno de Goya. Una cosa rarísima, una especie de murciélago con la cara del ministro de Hacienda. Y abajo decía: "Tuvimos que asustar a la gente para tranquilizar a los mercados". ¿Qué tal esa vaina? Ya recibimos varias llamadas del Ministerio, de la gente de prensa del Ministerio. ¡Están furiosos! Así que no nos venga con cuentos, Gómez, que nadie se ha ablandado. No se vaya a creer…»

Gerardo Gómez lo interrumpió: «¿Y este tipo qué hace aquí?»

Estaba mirando hacia la entrada de la casa, más allá de la puerta corrediza del jardín donde se reflejaban los árboles y el cielo claro y las ropas de los comensales, más allá del sillón donde Beatriz y su amiga jugaban algún juego privado, más allá del espaldar del sofá de cuero y de la mesa de centro con sus libros de arte y su florero vacío y su diminuto ejército de copas de aguardiente abandonadas. Un hombre acababa de entrar; se había detenido en medio del salón, mirando al vacío, como si esperara a alguien, pero Mallarino supo que no estaba mirando al vacío, sino a la chimenea, o más bien a la pared que había encima de la chimenea, el gran espacio blanco habitado sólo por el único cuadro que Mallarino había tenido tiempo de colgar: uno de los primeros desnudos de Magdalena, pintado a comienzos de los años setenta o incluso antes, cuando todavía no se habían casado, cuando el cuerpo desnudo de Magdalena todavía era un descubrimiento. Nadie podía saber que se trataba de ella, porque la mujer de la pintura tenía la cara escondida entre las almohadas, pero el hombre la estaba mirando (mirando las sábanas en desorden con sus distintos tonos de blanco, el torso desnudo y el lunar en el pecho izquierdo, junto al pezón relajado) como si la hubiera reconocido mediante artes misteriosas. Mallarino, por su parte, lo reconoció a él: era Adolfo Cuéllar, un congresista conservador al que había dibujado más de una vez en los últimos años y con cierta frecuencia de unos meses para acá, al punto de conocer ya de memoria sus orejas grandes, las pecas infantiles de su cara y la línea estricta de su pelo engominado. Su reputación lo había convertido en blanco de varios ataques por parte de la prensa liberal. Pocos hombres públicos llevaban su reputación como la llevaba Cuéllar, parada en el hombro como un loro, no, anudada al cuello como lleva un culebrero su culebra. Tal vez eso era la reputación: el momento en que una presencia fabrica, para quienes la observan, un precedente ilusorio. La última caricatura de Mallarino había aparecido después de que una enfermera fuera asesinada a golpes de azadón por su marido en un pueblo de Valledupar. «Es muy lamentable», dijo Cuéllar ante el micrófono de un periodista. «Pero cuando a una mujer le pegan, generalmente es por algo.» Mallarino lo dibujó de pie en un bosque de lápidas, con una cabeza desmesurada en que se distinguían bien sus pecas y su corte de pelo, vestido con traje de tres piezas y sosteniendo un azadón en la mano; al fondo, sentada sobre una piedra en actitud de invencible tedio, estaba la Muerte con su larga túnica negra y su guadaña sostenida entre los brazos cruzados. *Cuando una se queda sin trabajo,* se leía al pie de la imagen, *generalmente es por algo.* Y ahora el hombre —«el hombre del azadón», como lo había llamado ya un columnista de la revista *Semana*— estaba en casa de Mallarino. «¿Y este qué hace aquí?», había preguntado Gerardo Gómez. «Eso pregunto yo», dijo Mallarino. O tal vez no llegó a terminar la frase: «Eso pregunto», alcanzó a decir, y en ese momento vio a Rodrigo Valencia limpiarse la boca con la servilleta de papel (en su labio superior, mal afeitado, quedó un reguero de tercas motas blancas) y aclararse la garganta, no sin cierto ánimo bufo. «Yo lo invité», dijo Valencia. «*Mea culpa,* Javier, se me había olvidado avisarle.»

«Cómo que lo invitó usted», dijo Mallarino.

«Me llamó el viernes, hombre, me llamó a rogarme. Que necesitaba hablar con el señor Mallarino. Que le consiguiera una cita con el señor Mallarino. Jodió tanto que no me dejó opción.»

«Espere, espere. ¿Una *cita*?»

«Entiéndame, hombre, entiéndame. Era como si el tipo se me estuviera arrodillando por el teléfono.»

«¿Pero hoy domingo?», dijo Mallarino. «¿Hoy domingo, aquí en mi casa? ¿Se volvió loco, Rodrigo?»

«No había otra manera de quitármelo de encima. Es que es un congresista, Javier.»

«Es un idiota.»

«Es un congresista idiota», dijo Valencia. «Hable con él dos segundos, es todo lo que le pido. Mire que el tipo tuvo la delicadeza de venir después del almuerzo.»

«De no comerse mi comida, quiere decir.»

«Eso mismo, Javier», dijo Valencia. «De no comerse su comida.»

Mallarino entró a la casa por cortesía (el dueño que avanza para recibir al recién llegado) y al mismo tiempo por prevención (para que el recién llegado no se vea en el lugar donde la fiesta ocurre y sienta, equivocadamente, que es bienvenido en ella). Saludó a Cuéllar: una mano regordeta y flácida, una mirada que fue a clavarse en el hombro izquierdo de Mallarino. Su pelo era más corto de lo que parecía visto de lejos: Mallarino vio la frente amplia y sin entradas y un leve atasco de gomina en la sien izquierda, una mosca frutera atrapada en una telaraña, y luego, al verlo darse la vuelta para sentarse, se fijó en la prominencia del occipital, como si algo pugnara por salir de ahí (algo feo, sin duda: un secreto, un pasado tortuoso). El hombrecito entero le hacía sentir un vivo disgusto: le agradó ser más alto que él, más delgado, más elegante a pesar de su descuido al vestir. «Gracias por recibirme, Javier», le estaba diciendo el hombre. «Un domingo, caramba, y tú con invitados.»

«Lo hago con gusto», dijo Mallarino. «Pero eso sí, le pido que no me tutee. Es que yo a usted no lo conozco.»

Hubo como una torpeza en los movimientos del hombre. «No, claro», dijo. «Precisamente.» Y luego: «¿Me puedo quitar la chaqueta?»

Eso hizo, y Mallarino se encontró frente a un chaleco de hilo cuyos rombos azules y verdes quedaban violentamente rotos por la prominencia del vientre. Mallarino, en sus caricaturas, nunca había aprovechado esas curvas recién descubiertas, y pensó que lo haría la próxima vez. Condujo a Cuéllar a una esquina del salón, la que estaba más cerca de la cocina, y allí, en dos sillas que no estaban puestas para ser usadas, sino para acompañar la mesita del teléfono, se sentaron a hablar.

Mallarino, tras un tanteo, encendió la lámpara: en ese lugar de la casa, lejos del ventanal del jardín, se notaba que la tarde estaba cayendo. La luz amarillenta iluminó la cara de Cuéllar y dibujó sombras inéditas en los huesos y en la piel que ahora se movía. Cuéllar se agachó para arreglarse un mocasín (tal vez se le estaba tragando la media, pensó Mallarino, eso podía ser muy incómodo) y luego se enderezó de nuevo. «Mire, Javier», empezó a decir, «yo lo quería conocer a usted, quería que nos encontráramos, porque me parece que usted tiene una imagen, cómo decirlo, equivocada. De mí, claro. Una imagen equivocada de mí». Mallarino lo escuchaba mientras buscaba un par de vasos limpios y servía dos whiskies dobles, cuestión de no faltar a sus deberes ni siquiera con un hombre indigno de ellos. Del jardín les llegó una carcajada de mujer: Mallarino levantó la cara para ver quién había reído; Cuéllar, en cambio, se limpió las palmas en los pantalones, los dedos estirados como si quisiera que Mallarino se fijara en la limpieza de sus uñas, y siguió hablando. «Yo no soy la persona que usted pinta en sus monos. Soy distinto. Usted no me conoce.» «Es lo que le acabo de decir», dijo Mallarino, «que usted y yo no nos conocemos». «No nos conocemos», dijo Cuéllar. «Y a mí me parece que usted es injusto conmigo, perdóneme que le diga. Yo no soy una mala persona, ¿sí me entiende? Yo soy una buena persona. Pregúntele a mi esposa, pregúnteles a mis hijos, yo tengo dos, dos varoncitos. Pregúnteles y verá que le dicen eso, que yo soy una buena persona. Pobrecitos. Yo no les muestro sus dibujos. Mi esposa no se los muestra, perdóneme que le diga todo esto, perdóneme.»

Mallarino apenas lo podía creer: el hombrecito había venido en misión suplicante. *Me llamó a rogarme,* había dicho Valencia, *era como si el tipo se me estuviera arrodillando por el teléfono.* Se sintió invadido por un desprecio sólido, palpable como un tumor. ¿Qué lo irritaba tanto? Era quizás la humildad con que le hablaba Adolfo Cuéllar, la cabeza gacha que le hacía sombras debajo de la nariz, los brazos apoyados en las rodillas (la pose de quien se confiesa ante un cura amigo, un pecador fuera de su confesionario), o quizás el respeto con que trataba a Mallarino a pesar de que él, evidentemente, no sentía ninguno. Lo he humillado, pensaba Mallarino, lo he ridiculizado, y ahora me viene a lamer el culo. Qué tipo repugnante. Sí, eso era, una repugnancia impredecible y por eso mismo más intensa, una repugnancia para la cual no se había preparado Mallarino. Él había esperado reclamos, protestas, incluso diatribas; unos minutos atrás había saludado a este hombre con cierta hostilidad sólo para enfrentarse mejor a la hostilidad del otro, igual al empleado que, sorprendido en falta, llega a la oficina del supervisor manoteando y hablando fuerte, lanzando pequeños ataques preventivos. Pues bien, ahora resultaba que Cuéllar no había venido a exigir la suspensión inmediata de esos dibujos agresivos, sino a humillarse todavía más ante su agresor. Es un adulto, pensaba Mallarino, es un hombre adulto y lo he humillado, tiene esposa y tiene hijos y lo he ridiculizado, y el hombre adulto no se defiende, el padre de familia no responde con golpes parejos, sino que se humilla más todavía, todavía más busca el ridículo. Mallarino se descubrió sintiendo una emoción confusa que iba más allá del mero desprecio, algo que no era irritación ni molestia sino que se parecía peligrosamente al odio, y se alarmó al sentirla. «Por favor, Javier», decía Cuéllar, «por favor no me dibuje más así, yo no soy así». Y luego dejó de llamarlo por su nombre. «Eso vine a pedirle, señor Mallarino», decía con voz inestable y nerviosa (nerviosa como el gesto de Beatriz al lamerse las manos resecas), «gracias por recibirme y escucharme, perdón por su tiempo, digo, gracias por su tiempo». Mallarino lo escuchaba y pensaba: Es débil. Es débil y lo odio por eso. Es débil y yo soy fuerte ahora, y lo odio por poner ese hecho en evidencia, por permitirme abusar de mi fuerza, por delatarme, sí, por delatar mi poder que tal vez no merezco. Vista desde esta silla, la puerta corrediza del jardín se había convertido en un gran rectángulo iluminado, y Mallarino veía, recortadas sobre ese fondo claro, las siluetas que ya comenzaban a entrar. «Ya se enfrió el día», se oyó decir. La casa se llenó de diálogos animados, de risas abiertas o más discretas;

alguien preguntó dónde estaba el tocadiscos, y alguien más, Gómez o Valencia, comenzó a cantar sin esperar el acompañamiento de la música. *Te vi llegar,* cantó, *y sentí la presencia de un ser desconocido:* era una canción que le gustaba a Magdalena, pero no había manera de que Valencia o Gómez lo supieran ni supieran que con esos versos obligaban a Mallarino a recordar a su mujer ausente, el vacío profundo que se abría en su vida sin ella, y a lamentarlo todo, a lamentarlo intensamente: *Te vi llegar y sentí lo que nunca jamás había sentido.* Adolfo Cuéllar le acababa de pedir perdón de nuevo: por quitarle su tiempo, por invadir su casa una tarde de domingo. Hablaba de la imagen de un padre ante sus hijos, y de cómo sus hijos crecerían con la imagen que de él diera Mallarino. «Hágalo por ellos», le decía Cuéllar, «hágalo como padre que es usted», pedía o suplicaba, y Mallarino veía sus orejas, su nariz, los huesos de su frente y sus sienes, y pensaba en el curioso desdén que le producían esos huesos y esos cartílagos, y se decía que, aun si Adolfo Cuéllar no le pareciera un personajillo repugnante, lo seguiría dibujando sin parar, y la culpa la tendrían sus huesos y sus cartílagos. La culpa la tienen sus huesos, pensaba Mallarino, toda la culpa es siempre de los huesos y los cartílagos, y luego pensó: los huesos son lo único que importa; en ellos, en la forma del cráneo y el ángulo de la nariz, en la amplitud del frontal y la fuerza o la pusilanimidad del maxilar y en los agujeros del mentón, sus delicadas o bruscas pendientes, sus sombras más o menos intensas, residen la reputación y la imagen: dadme un hueso y moveré el mundo. Los políticos no lo sabían, no se habían dado cuenta de ello todavía, o tal vez sí, pero tampoco tenía solución la cosa: nacemos con estos huesos, es muy difícil cambiarlos, y así iremos por la vida con las mismas vulnerabilidades, o esforzándonos siempre por compensarlas: ¿no decía alguien que un hombre exitoso es simplemente alguien que ha encontrado la manera de disimular un complejo? En la sala, de pie junto al cuerpo agachado que manipulaba periódicos viejos para encender, por primera vez, la chimenea de la nueva casa, Rodrigo Valencia —era él, era Valencia, ya lo había reconocido Mallarino— cantaba a voz en cuello esos versos sobre el amor que no era fuego ni era lumbre, y esos otros, que tanto le gustaban a Magdalena, sobre las distancias que apartan las ciudades y las ciudades que destruyen las costumbres, y con cada verso Mallarino tenía la impresión de que Adolfo Cuéllar, que ahora tomaba un trago de su vaso y hacía una mueca grotesca al tragar, caía más y más bajo en la humillación y la desvergüenza. Un manojo de llamas coloreó el salón. Cuéllar era increíble: ¿cómo podía infligirse él mismo semejantes dolores, o es que no lo agobiaba dolor ninguno al arrodillarse frente a quien lo hería? Mallarino estaba a punto de preguntárselo con palabras bruscas cuando hubo un ruido de cristales que se rompen, y antes de que Mallarino tuviera tiempo de descubrir su proveniencia apareció Elena Ronderos, dando pasos largos y moviendo las manos como si borrara una frase torpe en el tablero.

«Oiga, Javier, venga rápido», dijo. «Algo les pasa a las niñas.»

Y así descubrieron los adultos que Beatriz y su amiguita se habían pasado la última hora recorriendo la casa, visitando cada superficie donde hubiera copas a medio beber, cada mesa de la sala y cada escalón y cada anaquel de cada estantería donde algún invitado hubiera dejado un fondo de aguardiente o de whisky o de ron blanco, y ahora habían pescado una borrachera que las tenía clavadas al suelo del cuarto de Beatriz como dos mariposas de colección y les impedía siquiera abrir los ojos y contestar a las preguntas que les hacían. Habían roto uno de los marcos que, recostados contra las paredes, esperaban a que les fuera asignado un lugar, y allí estaban el marco y los tres o cuatro largos triángulos de vidrio. Mallarino pensó que los recogería enseguida, pero primero levantó a su hija; alguien, no supo quién, levantó a Samanta Leal, y unos segundos después estaban las dos niñas en la cama de la habitación principal, una al lado de la otra como dos plumillas sobre un pliego de cartulina, perfectamente inconscientes e inmóviles. Una mujer cuyo nombre no recordaba Mallarino trajo de la cocina un paño mojado; se lo ponía en la frente a las niñas, alternativamente, y en las pieles lívidas de Beatriz y de Samanta, en las frentes vaciadas de color, quedaba un parche fugaz, enrojecido y húmedo. Mallarino, mientras tanto, había llamado al pediatra, y en instantes estaba llegando al cuarto y sentándose en la cama con movimientos eficientes y poniendo sobre la mesa de noche, o más bien sobre su cuadernillo de apuntes transformado en posavasos, una taza de agua con azúcar y una cuchara de té que brilló cuando se encendió la luz de lectura. «Un poquito cada veinte minutos y todo va a estar bien», decía. «Una cucharadita, una nada más, y todo va a estar bien.»

«¿Nos emborrachamos?», dijo Samanta Leal. «¿Yo me emborraché?»

«Se tomaron todos los cunchos que había en la casa», dijo Mallarino. «Y no era gracioso, no crea. Les hubiera podido dar un coma.»

«No me acuerdo de nada. No me acuerdo de su hija. ¿Éramos muy amigas?»

«No que yo sepa, no. Beatriz cambiaba de mejor amiga todas las semanas. Así es a los siete años, supongo.»

«Supongo», dijo Samanta Leal. «¿Y quién nos cuidó, usted?»

«Cada veinte minutos venía a verlas», dijo Mallarino, «y les daba una cucharadita de agua con azúcar. Fue lo que me dijo el médico. Viera el lío para que se la tragaran».

«No me acuerdo, no me acuerdo de nada.»

«Claro que no. Estaban idas, Samanta, completamente idas. Si una vez hasta les puse un espejo en la nariz, para ver si no se me habían muerto. Paranoias de padre.»

«Nadie se muere de eso.»

«No, claro, pero yo qué iba a saber. O mejor, un padre se imagina cualquier cosa, cualquier cosa puede ser posible. Y ustedes parecían desmayadas.»

«Así estaríamos.»

«No se les oía la respiración. Ni siquiera roncaban como ronca un borracho. No se movían, tampoco, estaban como sedadas. Yo les puse una cobija encima, una de esas cobijas que antes se robaba uno de los aviones, y la cobija ni se movía: cada vez que yo entraba la encontraba exactamente igual, creo que hubiera podido pintar los dobleces y hubieran sido iguales. Lo que le digo, estaban idas. Normal, claro.»

«¿Normal?»

«Quiero decir, semejante cantidad de trago en un cuerpo de siete años, y no cualquier trago, sino aguardiente y ron. Mejor dicho, como tomarse el coma directamente. No, si es que nos preocupamos de verdad. Y usted no se acuerda.»

«De nada.»

«Ya veo.»

«De nada», repitió Samanta.

«¿Y tampoco de lo que pasó después?» Silencio. «El escándalo, todo eso. ¿Tampoco se acuerda?» Silencio. «Ya veo», dijo Mallarino. «Y es para eso entonces…»

«Sí», dijo Samanta. «Es para eso.»

«Ya veo.» Silencio. «Pero bueno, de algo se tiene que acordar.»

Samanta cerró los ojos. «Me acuerdo de mi papá levantándome», dijo. «O tal vez no, tal vez sólo creo que me acuerdo de mi papá levantándome, porque sí me acuerdo de mi papá metiéndome al carro, al puesto de atrás del carro. Y si me cargó hasta el carro, tuvo que levantarme antes, ¿o no? Mi papá me cargó y me llevó hasta el carro, ¿verdad?»

«Creo que sí.»

«¿Cree solamente?»

«No me acuerdo bien», dijo Mallarino. «Entiéndame, estaba muy alterado. Todo el mundo estaba alterado en ese momento.»

«Por lo de los tragos», dijo Samanta. No era una pregunta; no era una afirmación siquiera. Era otra cosa.

«No, no», dijo Mallarino. «Usted sabe que no. Lo de los tragos ya había pasado, ya estaban ustedes dos dormidas y cuidadas, yo pasaba cada veinte minutos con mi cucharadita de agua con azúcar. Eso estaba bajo control.»

«¿Y entonces?»

«Usted sabe», dijo Mallarino.

«No», dijo Samanta, «justamente. Yo no sé». Silencio. «Y lo que quiero es saber. Quiero que me cuente.» Silencio. «A ver, a ver. Usted nos cuidaba.»

«Sí.»

«Usted pasaba con la cucharadita de agua con azúcar.»

«Sí.»

«Cada veinte minutos.»

«Sí. Era lo que había dicho el médico.»

«¿Y entre dos cucharaditas?»

«Me iba a estar con los invitados, claro. Yo seguía siendo el anfitrión.»

«¿Todavía estaban todos?»

«La mayoría, por lo menos. Yo no recuerdo que se hubiera ido nadie.»

«¿Estaban todos cuando llegó mi papá?»

«Creo que sí. Como le digo, la mayoría. Yo acababa de darles a ustedes la cucharadita, pero no recuerdo si era la tercera o la cuarta. La chimenea estaba prendida, eso lo recuerdo bien, y había que mantenerla viva. Yo salía al jardín, traía madera, buscaba el papel periódico para echarle al fuego, y la chimenea se mantenía viva. La gente ya se había apoderado del bar, quiero decir que sabían dónde encontrar trago y se iban sirviendo solos. Pero de vez en cuando alguien me pedía algo: hielo, un vaso nuevo, una gaseosa, cigarrillos. De eso me acuerdo, del olor del cigarrillo. O de eso creo que me acuerdo, pero tal vez sólo sea porque dejé de fumar. En fin: le puedo decir que no me senté ni un segundo. Entre la chimenea, las cosas que me pedían y los amigos que me abrazaban para cantar una ranchera, no me senté ni un segundo. Ni siquiera me acuerdo de haberle abierto a su papá. De presentarlo, sí: me acuerdo de presentarlo, de hacerlo seguir a la sala donde estaban todos y presentarlo, miren, el papá de Samanta, sí, Samanta, la amiguita de Beatriz. Y todo el mundo tieso, obviamente: había que decir algo, pero nadie quería ser el que lo dijera. Ahí me di cuenta de que la había embarrado. Habría debido explicarle todo apenas le abrí la puerta. Pero no sé si le abrí la puerta, Samanta, tal vez la puerta estaba abierta y él entró por su cuenta. Eso lo cambia todo, ¿no? Cuando uno le abre la puerta a un desconocido, es más fácil que se le ocurra algo así, explicarle algo importante al desconocido. Pero si el desconocido se encuentra de repente adentro, se le puede a uno olvidar, ¿no? Una distracción como cualquier otra... No importa, no es una excusa. Habría debido explicarle todo apenas le di la mano. Pero no lo hice, y fue un error.»

«¿Por qué fue un error?»

«Porque lo puso a la defensiva. No me tome a mal, Samanta, pero apenas lo vi me di cuenta de que su papá no era el tipo más desenvuelto del mundo. O no es. Todavía vive, me imagino.»

«Yo tenía quince años cuando se fue. Sé que al principio vivió en Brasil, luego ya no se supo más. ¿Qué quiere decir con desenvuelto?»

«Quiero decir que se le veía a la legua una especie de timidez, no sé cómo explicarle, algo que lo echaba para atrás. Se veía que hubiera preferido no venir a recogerla, que viniera su mamá. Le presenté a todo el mundo en la sala y le costaba trabajo dar la mano, y era muy raro, un tipo de ese tamaño con esa timidez. Es un tipo grande, su papá, un tipo acuerpado, y ahí en la sala, con todos nosotros, se veía como disminuido. Su papá me pareció uno de esos tipos grandes pero que preferirían no llamar la atención cuando llegan, y parece entonces que tuvieran la cabeza metida entre los hombros, que estuvieran pasando de agache por una puerta bajita. Aunque tal vez así es siempre, ¿no? Tal vez así es siempre con el que acaba de llegar a una fiesta donde ya todo el mundo está medio bebido. Se ve pequeño aunque mida uno con ochenta y tenga hombros de nadador, o así recuerdo yo a su papá. Lo recuerdo también con patillas largas y una quijada fuerte, no sé si me equivoco. Usted tiene una quijada fuerte, Samanta, pero no como la de su papá. Sea como sea, ya había terminado yo de hacerle la ronda, ya había terminado su papá de saludar a toda esta gente que lo miraba fijamente, y ahí le expliqué lo que había pasado. Le cambió la cara, claro. Que dónde estaba Samanta, empezó a preguntarme, dónde estaba su hija. "Está arriba, en mi cuarto", le dije yo. "Ella está bien, no se preocupe, está dormida y está bien, las dos están bien, también mi hija." Eso era como para recordarle que había dos niñas en el mismo problema, no una sola, y que si yo estaba aquí, relativamente tranquilo, él podía estar aquí también, relativamente tranquilo. "Y por dónde se sube", me preguntó él. Yo le señalé el corredor, igual que se lo señalé a usted hace unas horas, y le dije: "Deme un segundo, lo acompaño". Pero él no me dio ningún segundo. No recuerdo que haya salido corriendo, ni siquiera caminando rápido, como se camina en una emergencia. No, no: simplemente se volteó así, sin decirme nada más, un poco ofendido, creo yo, o indignado, y se fue hacia las escaleras sin decir una palabra. No tuvo que decir nada para que yo supiera qué estaba pensando. Qué clase de lugar es este, eso era lo que estaba pensando, cómo fue que mi niña acabó aquí. Hay gente que no sabe lidiar con los imprevistos, y su papá era así, eso también se veía a la legua. Se fue hacia las escaleras y lo vi meterse al vano, ahí, a la izquierda, como hicimos nosotros antes. Y luego ya no lo vi más. No lo seguí, Samanta, y ahora lo siento mucho. Pero es que me molestó, qué quiere que le diga: me molestó la descortesía, la tosquedad. Pensé: bueno, a la mierda, que se las arregle solo. Que suba, que la busque, que se equivoque de puerta, que la encuentre, que vea que todo está bien, que se la eche al hombro y que se vayan. A la mierda. Todo eso pensé. Y luego comenzaron los gritos.»

«Venían de arriba.»

«Comenzaron arriba», dijo Mallarino, «y luego fueron bajando por las escaleras, rodando como una pelota, no, como una piedra, como uno de esos derrumbes de las carreteras de montaña. Una vez, con Beatriz recién nacida, me tocó un derrumbe junto a la Nariz del Diablo. ¿Usted conoce la Nariz del Diablo, Samanta? Queda yendo para tierra caliente, un pedazo de piedra gigantesco, realmente descomunal, que sale de la montaña y pasa como un puente sobre la carretera. La gente dice que ahí, en esa nariz de piedra, se para el diablo para hacer que los carros se estrellen. Los asusta o los distrae y los que van manejando pierden el control y se van por el precipicio, que en ese punto es altísimo, un corte en la montaña y una caída al vacío. Allá, en el fondo del barranco, quedan los carros de los muertos, y si no se matan al caer, se mueren por falta de socorro, porque a esas profundidades no llega nadie, y si gritan, nadie los oye... Mi esposa y yo nos íbamos a pasar Semana Santa a Melgar, creo que era. Las primeras vacaciones de Beatriz, que iba atrás, o más bien las dos iban atrás, Magdalena cargando a Beatriz. Y nos tocó el derrumbe. Habían cerrado la vía poco antes de la Nariz y el tráfico estaba parado y veíamos la Nariz, y fue Magdalena la que empezó a hablar del diablo. "¿Y si lo vemos?", me decía. "¿Y si justo vemos al diablo ahí parado?" No lo vimos, Samanta, no vimos al diablo, pero oímos un ruido y luego todo empezó a temblar, el carro empezó a temblar, y se vino el derrumbe montaña abajo. Una estampida de piedras grandes que parecen buscarlo a uno, tenerlo a uno en la mira, y durante cuatro o cinco segundos uno piensa que hasta aquí llegó, porque si una de esas piedras le cae encima, no hay carrocería que aguante. Todo pasó a veinte metros de nosotros, pero sólo pensar que ahí atrás iban Magdalena y Beatriz... En fin, un derrumbe es un espectáculo impresionante que le mete miedo al más pintado. Así, como ese derrumbe, bajaron esa noche los gritos del segundo piso. Todavía me parece increíble que no las hayan despertado».

«A mí no me despertaron, en todo caso. No recuerdo que me hayan despertado. ¿Y a su hija?»

«Tampoco. Siguió noqueada, en otro mundo.»

«¿Se lo ha dicho ella?»

«¿Cómo?»

«¿Ella le ha dicho que no se dio cuenta de nada?»

«Bueno, no», dijo Mallarino. «Nunca se lo he preguntado, nunca hemos hablado de esa noche. La verdad es que yo nunca he hablado de esa noche con nadie: nunca había tenido razón para hacerlo. Es la primera vez en veintiocho años, le quiero decir, y el esfuerzo no es cualquier cosa. Espero que me lo tenga en cuenta.»

«Hábleme de los gritos.»

«Eran como un derrumbe, Samanta. No sé qué cosas se me pasaron por la cabeza, pero no fui el único: todos los que estábamos en la sala dejamos de hacer lo que estábamos haciendo. Se dejaron las copas en la mesa. Se cortaron las conversaciones. Se pararon los que estaban sentados. En mi memoria hasta se apagó la música, pero eso es imposible, que la música se haya apagado automáticamente en ese momento preciso, y sin embargo yo lo recuerdo así: se apagó la música. La memoria hace esas cosas, ¿verdad?, la memoria apaga músicas y le pone a la gente lunares y cambia de sitio las casas de los amigos. Empezamos a caminar hacia las escaleras, y en ese momento bajó Adolfo Cuéllar. Yo lo recuerdo así: Cuéllar bajó primero. Yo no sabía en qué momento había subido, ni para qué. A mí no me había pedido ver el segundo piso de la casa, ni me había preguntado dónde quedaba el baño, ni nada por el estilo. Un segundo estaba ahí, compartiendo la sala con nosotros, no sé si despidiéndose o buscando el abrigo que se había quitado, si es que llevaba abrigo, y en el momento siguiente estaba bajando por las escaleras, perseguido por los gritos del señor Leal. "Oiga", le gritaba, "venga para acá, oiga". Los gritos sonaban al tiempo que sus pasos bajando las escaleras. Sus pasos de derrumbe, Samanta, sus pasos escandalosos y atropellados. "¿Qué pasó aquí? ¿Qué le hizo a mi niña?" Y lo que siguió lo recuerdo así: todos los invitados en el corredor que da a las escaleras, o una buena parte de nosotros en el corredor y los otros ahí, debajo de ese arco, ahí donde comienza el corredor. Era como un embudo, Samanta, haga de cuenta un embudo. Por ahí salió Cuéllar. Nos cruzamos pero no lo paré a preguntarle qué estaba pasando. No me pareció necesario. O tal vez ni siquiera se me ocurrió. Ya su papá había bajado también y le estaba gritando a Cuéllar desde el otro lado de un grupo de gente: Valencia, Gómez, Santoro, Elena, un grupo que se había puesto entre su papá y Cuéllar por puro instinto, el instinto de evitar una pelea. Y esto no se me va a olvidar nunca: su papá quería olerle las manos a Cuéllar. Eso pedía a gritos: "¡Deme las manos! ¡Déjeme olerle las manos!" Y lo seguía insultando: "¡Déjeme olerle los dedos, malparido!" Yo seguí hacia las escaleras y comencé a subir, tenía que saber qué había pasado. O tal vez no era eso: no era saber qué había pasado, sino confirmar que nada le había pasado a Beatriz. En ese momento Beatriz me importó mucho más que usted, qué quiere que le diga. La puerta de mi cuarto estaba entrecerrada, y recuerdo haber pensado, mientras avanzaba, que era raro, porque si su papá había estado aquí y había salido a las carreras, ¿no era raro que se hubiera parado a ajustar la puerta? Eso estaba pensando cuando abrí. Primero vi la cobija, la cobija de avión, tirada en el suelo, y luego la vi a usted, Samanta. La vi todavía dormida, quiero decir inconsciente, pero acostada boca arriba, no de medio lado como la había dejado antes, sino acostada boca arriba y con la falda un poco levantada. Tenía las piernas separadas, o una pierna doblada, creo que era así, una pierna doblada. Miré para otro lado, por prudencia, me entiende, pero no alcancé a voltear la cabeza a tiempo, y algo alcancé a ver. Entonces le di la vuelta a la cama para confirmar que Beatriz estuviera bien. Ahí estaba yo, del otro lado de la cama, agachado junto a la cara de mi niña, cuando entró su papá y me miró y con una mirada rápida me hizo responsable de todo. La levantó a usted, la cargó y se la llevó. Era una imagen perfectamente normal, usted con los brazos alrededor del cuello de su papá, como todas las niñas con todos los padres. Pero lo que no era normal era la mano izquierda de su papá, que la tenía a usted agarrada de las nalgas, no para sostenerla, sino como tapándola, como tapándole la ropa interior.

Yo lo seguí hacia abajo. Los perros habían entrado, me imagino que interesados por el alboroto, y habían empezado a ladrar. Salieron, su papá y usted, y desde la puerta de la casa los vi subirse al carro, o lo vi a él acostarla a usted en el puesto de atrás y luego subirse al carro y encenderlo y echar reversa. Me acuerdo de que había comenzado a llover, o más bien a lloviznar: me di cuenta cuando se prendieron las luces del carro y de repente se vieron las gotas. Y me quedé así un instante, viendo las gotas que flotaban en el aire, y cuando el carro hubo cruzado el portón de la propiedad cerré la puerta y volví adentro y me di cuenta de que también Adolfo Cuéllar se había ido. Los perros todavía ladraban. El fuego se había apagado. Alguien, no me acuerdo quién, me pidió el abrigo. La gente comenzó a irse.»

«Y así se acabó la fiesta», dijo Samanta.

«Exacto», dijo Mallarino. «Al día siguiente hice la caricatura. Y al otro día se publicó.»

En esos tiempos, estar suscrito a un periódico era esperar, cada mañana, la transformación del mundo, a veces como sacudida brutal de todo lo conocido, a veces como sutil puerta de acceso a una realidad desplazada: la zapatería que han visitado los duendes durante la noche. Tras la mudanza, lo primero que hizo Mallarino fue asegurarse de que los repartidores hubieran actualizado correctamente la dirección, pues uno podía quedarse sin café y sin desayuno, sin agua potable y sin teléfono, pero no sin el periódico esperando en la puerta, húmedo por la niebla reciente, frío todavía por el frío de la madrugada en los cerros, pero listo para que Mallarino lo abriera como abre un niño —en piyama, los ojos lagañosos— los regalos en Navidad. ¿No era Rockefeller quien se hacía mandar su propia versión del *New York Times,* una versión adulterada de la cual se habían eliminado todas las malas noticias? Mallarino nunca había podido entenderlo: a él la indignación o la rabia o el odio lo mantenían vivo. ¿Cómo renunciar al sentimiento de superioridad intensa que se siente al odiar a alguien? Era una emoción que daba sentido a las mañanas. Esta mañana, Mallarino fue directamente a la página de Opinión. Y allí estaba su recuadro negro, que esta vez había dibujado más grueso, y en el centro del recuadro, una suerte de promontorio que parecía hecho de tierra, algo así como una pequeña colina. Al pie de la colina, rodeándola, había una multitud de cabezas de pelo largo y liso, todas vistas de espalda, y alguna de ellas adornada con un moño infantil. Sobre la colina, en el ápice del promontorio, estaba Adolfo Cuéllar —estaban los huesos y los cartílagos de Adolfo Cuéllar— vestido con chaleco de rombos, las líneas del chaleco rotas por la barriga prominente. Tenía los brazos abiertos, como si quisiera abrazar el mundo, y su cara pecosa miraba al cielo. Mallarino había escrito la leyenda como lo hacía Ricardo Rendón: haciendo constar el nombre del personaje y poniendo un guión antes de sus palabras ficticias, como si se tratara de una novela, de manera que esto era lo que se leía (lo que millones de personas estaban leyendo en ese mismo momento) en la página más leída de *El Independiente:*

El congresista Adolfo Cuéllar: —Dejad que las niñas se acerquen a mí.

No era la primera vez que Mallarino hacía un dibujo «sin a propósito», que era como llamaba a las caricaturas desligadas de una referencia inmediata, una noticia, un hecho de conocimiento público. Pero nunca se había sentido tan natural como ahora. La imagen se había formado en su cabeza a la mañana siguiente de la fiesta, tan pronto como tuvo un momento de soledad en la nueva casa y la extrañeza lo obligó a refugiarse en su rutina de trabajo para no sucumbir a la melancolía. Aún estaba bajo la impresión del enfrentamiento —porque había sido eso: un enfrentamiento, un momento de violencia—, y había amanecido sintiéndose víctima de un desgaste brutal, como quien acaba de salir de un accidente. La tensión en los hombros y en el cuello, la tensión en la cintura, el dolor de su hernia que aparecía en momentos como aquel y que se irradiaba a la pierna izquierda... Se dio una ducha larga y después, todavía en bata, comenzó a dibujar. No sentía indignación ni rabia, sino algo más abstracto, como una inquietud, casi como la conciencia de una posibilidad... De un poder, sí, era eso: la conciencia de un poder impreciso. En veinticinco minutos, sin contar la preparación de los materiales, el dibujo estaba terminado. Mallarino se sirvió una cerveza, encendió un cigarrillo y se sentó en el jardín con la novela que estaba leyendo por esos días. «Anoche», leyó, «al hundir mi mano derecha en el cofre donde guardo mis papeles, los bichos treparon hasta mi antebrazo, agitaban sus patitas, sus antenas, tratando de salir al aire libre». Los reptiles se arrastraban por la piel del narrador, y Mallarino pensaba en Adolfo Cuéllar; pensaba en Cuéllar, recordaba sus súplicas y sus huesos y sus cartílagos y sus zalamerías, y el narrador declaraba, mientras tanto, su infinita sensación de repugnancia. Y ahora ya la caricatura estaba allá afuera, en el universo real donde las opiniones tienen sus efectos y son endebles las reputaciones, y no había vuelta atrás, ni tampoco le interesaba a Mallarino que la hubiera.

Rodrigo Valencia tenía por costumbre llamarlo el día de una caricatura especial, pues, aunque la hubiera visto y comentado la tarde anterior, le parecía que no sobraba apoyar moralmente al caricaturista cuando el trabajo saliera al mundo. Pero esta mañana no fue Valencia quien llamó primero, sino Gerardo Gómez. «Qué berraquera, hombre», dijo. «Y yo preguntándole que si se nos había ablandado, qué pena.» A Valencia, que llamó enseguida, le pareció una declaración (o tal vez dijo denuncia) dura pero necesaria: había ciertas cosas que era imprescindible decir y que sólo la caricatura podía decir correctamente. «Si no lo dice usted, no lo dice nadie», añadió. «Bueno, vaya descanse. Aquí en la redacción estamos listos para lo que venga.» Las llamadas de protesta no se hicieron esperar: de la secretaria de Cuéllar, de su mujer con voz chirriante, de un abogado que dijo estar representándolo y decidido a instaurar las acciones legales correspondientes. «Pero no se preocupe, Javier, no va a pasar nada», dijo Valencia. «Demandar por una caricatura así es como aceptar los cargos. Además usted es usted, no nos engañemos, y este periódico es este periódico.» Hubo una *Carta al Director:* «Protestamos de la manera más enfática...» «Este ataque injusto a la imagen de uno de nuestros más distinguidos servidores públicos...» «Nosotros, que hemos defendido con ardor los colores de la patria, denunciamos la utilización partidista de los medios de comunicación nacionales...» La firmaban los *Amigos del congresista Adolfo Cuéllar;* para Mallarino, el hecho de que la carta fuera, en la práctica, un anónimo, igual en ampulosidad y en falsa elegancia a los anónimos amenazantes, sólo distinta por la ausencia de mayúsculas y de errores de ortografía, confirmaba, de una manera imprecisa e inexplicable y tal vez supersticiosa, la validez del dibujo y lo que el dibujo sugería. *Lo que el dibujo sugería:* ni declaraba ni denunciaba, le parecía a Mallarino; era como un susurro en una reunión, una mirada de reojo, un dedo que se levanta en privado sin que el público se dé cuenta. Las caricaturas tenían unas raras propiedades químicas: Mallarino se iba dando cuenta poco a poco de que la defensa, cualquier defensa que hiciera Cuéllar de sí mismo o cualquier otra persona de Cuéllar, lo hundía más en el descrédito, como si la verdadera ignominia consistiera en mencionar la caricatura. ¿Qué misterioso mecanismo era este que convertía un ataque periodístico en una suerte de arena movediza donde bastaba patalear para hundirse cada vez más, e irremediablemente? Mallarino se percató de que, al no atar su ataque a una noticia concreta y verificable, al permitirle cierta gratuidad, convertía la defensa en imposible o ridícula: es imposible contestar a algo que no se dice, a menos que se haga, justamente, diciéndolo. Como si eso fuera poco, el ataque gratuito gozaba de una vida más larga. Para el viernes siguiente, cuando Magdalena trajo a Beatriz para que pasara con su padre el fin de semana, la caricatura habría debido hundirse en el olvido, arrastrada u obliterada por la actualidad que no daba tregua (el nuevo presidente y su próxima posesión, tal vez, o tal vez el terremoto que había matado a tanta gente en un pequeño país más o menos cercano), o por lo menos haber pasado al fondo de las prioridades de ese monstruo caprichoso y voluble que es el lector de periódicos. Pero no era así: no se había hundido en el olvido; no había pasado al fondo de las prioridades: había cobrado vida propia y andaba por la ciudad, suelta y azarosa, rebotando en las esquinas.

O eso fue, al menos, lo que quiso decir Magdalena desde el momento mismo de su llegada. Mallarino le abrió la puerta, la saludó abrazándola, sintió un ramalazo de deseo al tocar la blusa azul: siempre le había gustado esa blusa, la manera en que le marcaba a Magdalena la curva de los senos, y brevemente fantaseó con la posibilidad de que ella la hubiera escogido adrede. Una cordialidad novedosa se había instalado entre ellos después del incidente: tal vez, pensaba Mallarino, era la conciencia del peligro cercano, de las cosas malas que les habían rozado la vida sin tocarlos, pues Magdalena, con sabiduría de mujer, había pasado por alto la negligencia de Mallarino con las copas abandonadas para concentrarse en lo ocurrido después, lo realmente serio y peligroso. Tenía algo que contarle, dijo Magdalena moviéndose con una vaga energía, ¿le importaba que se quedara un rato? Y allí, sentados los dos a la mesa del comedor después de comer con Beatriz (como lo hacían antes, pensó Mallarino sin decirlo, como lo hacían en aquel mundo que se les había refundido y que sería necesario recuperar), sosteniendo cada uno entre las manos su propia taza de té humeante, mientras esperaban a que la niña se duchara y arreglara su ropa sucia y se cepillara los dientes con un cepillo cuyo mango era un hada flacuchenta, Magdalena describió una escena en que la página de Opinión de *El Independiente* aparece un buen día en la cartelera del colegio de los niños Cuéllar, y uno de ellos, el mayor, se enreda a puñetazos con un compañero que le hace un comentario desagradable sobre su padre. «¿Te imaginas?», dijo Magdalena con algo que podía ser consternación pero también otra cosa. «¡En el colegio!» Mallarino escuchaba el relato, pero su atención no estaba en él, sino en la repentina complicidad que en ese instante los bañaba, una comunicación que no habían sentido entre ellos en mucho tiempo, o era quizás la rara emoción que produce en los padres la protección conjunta de un hijo. «¿Y ha preguntado algo?», dijo Mallarino. «Nada», dijo Magdalena, «no ha dicho nada». «¿Y de la niña Leal? ¿Sabemos algo?» «Nada, no. A ver qué pasa cuando se acaben las vacaciones.» Magdalena hablaba en voz baja, en esas notas bajas pero afinadas que sólo ella era capaz de modular, y Mallarino volvió a desearla; se permitió lanzarle una mirada directa a los senos, recordarlos fugazmente, procurando que sus ojos delataran ese recuerdo; Magdalena fingió que no lo había notado, aunque las mujeres siempre notaban estas cosas, y no cruzó los brazos ni apareció en su cara ningún signo de incomodidad. Se despidió con cariño, acariciándole a Mallarino el brazo izquierdo, y él se quedó solo con su hija en su nueva casa. La suya fue en ese instante una soledad inédita; lo fascinó la novedad del sentimiento, relacionada sin duda con el afán animal de ser el único responsable de Beatriz y su bienestar, por lo menos durante las próximas cuarenta y ocho horas (y allí estaba el vértigo de esa cifra). Esa emoción le llevó lágrimas a los ojos: se sintió ridículo, se rió de sí mismo. En las brumas de aquellas impresiones nuevas pensó en Cuéllar y en los hijos de Cuéllar, a quienes nunca había visto, y en su mente se figuró, vívida y móvil y colorida como en una película, una escena de pelea a puñetazos en un patio de colegio, y casi le pareció ver las ropas rasgadas contra el pavimento, los moretones en la cara, la sangre negra y el llanto, y casi le pareció oír el ruido hueco de los puñetazos, los huesos chocando con los huesos. Pero la escena se desvaneció pronto, porque Beatriz, con una irresistible sonrisa de entusiasmo, había sacado de su morralito rosado una baraja de cartas viejas de puntas dobladas, y ahora le pedía a su padre que jugaran manotón a pesar de que él le había explicado incontables veces que ese juego, jugado sólo entre dos, no tenía la menor gracia.

A finales de agosto, cuando se reanudaron las clases, Beatriz trajo la noticia (pero no fue tanto una noticia como una mención casual, un comentario suelto) de que Samanta Leal ya no estaba. No volvió a hablar de ella. Así, con esa facilidad insultante, desapareció la niña de la memoria de Beatriz y acaso del colegio entero, y Mallarino pensó que también él, encontrándose en la misma situación, habría hecho lo mismo: crear un vacío de silencio alrededor de la niña, un olvido cerrado y hermético donde lo sucedido, al no existir en la memoria de quienes los rodeaban, dejara pronto de existir en su propia memoria. Cambiar de colegio, cambiar de barrio, cambiar de ciudad, pero cambiar, cambiar algo, siempre cambiar, cambiar para dejar atrás, cambiar para borrar: un verdadero *pentimento,* la corrección de un lienzo tras un cambio de parecer, una imagen pintada sobre la otra, un brochazo de óleo sobre otros brochazos de óleo. Eso era quizás lo que había sucedido en el caso de Samanta Leal, porque el óleo no se puede borrar, pero sí corregir; no eliminar, pero sí enterrar en nuevas capas. Era fácil corregir la vida de un niño: bastaban un par de decisiones radicales y una verdadera voluntad, un verdadero compromiso con la corrección, y eso era todo. Los padres de Samanta Leal habían decidido hacerlo, y eso era respetable; Mallarino lo habló alguna vez con Magdalena, y Magdalena estuvo de acuerdo. Con las semanas que pasaban, con los meses, también de la memoria de ellos se fue desapareciendo Samanta Leal, y lo que debería haberles extrañado, pero no les extrañó, fue no recordarla ni siquiera cuando hablaban de lo que le estaba sucediendo a Adolfo Cuéllar.

Primero fueron los rumores. El «Correo de las brujas», la sección de chismes y habladurías de una revista semanal, contó que Cuéllar y su esposa habían protagonizado un pequeño escándalo en la fila de un cine de la calle 63. Más tarde, *El Tiempo* publicó en su Sección Femenina —la palabra *Femenina* encabezaba la página con letras huecas, apenas un contorno— una entrevista de media página en que la esposa del congresista hablaba a placer sobre bazares de beneficencia, campañas de alfabetización, donativos de comida pero también de sangre, y Mallarino estaba seguro de no ser el único extrañado o sorprendido por la ausencia en el artículo de Adolfo Cuéllar, cuyas influencias, directas o no, habían hecho posibles los donativos y las campañas y los bazares. «La amable señora de Cuéllar», se leía en el texto, «prefirió discretamente no hablarnos de su marido. "Los trapos sucios se lavan en casa", nos dijo». Y luego, una mañana de noviembre, Mallarino se despertó con el timbre del teléfono. «Le pidieron la renuncia», dijo Rodrigo Valencia desde el otro lado de la línea. «Nadie está hablando de que sea una sanción, porque no hay nada que sancionar. Pero mis espías tienen su opinión bien clara. No hay que ser muy ducho para darse cuenta.» Era muy temprano todavía: Mallarino sostenía el aparato entre el hombro y la cabeza mientras sus manos, dormidas, buscaban los cigarrillos y el encendedor en el meticuloso desorden de la mesa de noche. «¿Darse cuenta de qué?», dijo Mallarino. «Bueno, Javier, usted sabe», dijo Valencia. «Mejor dicho, ni hablemos. Mire el noticiero esta noche, seguro que sale algo.» Y así fue: esa noche Mallarino encendió el televisor minutos antes de las siete, y estuvo oyendo con la mitad de su atención el show de Mary Tyler Moore mientras organizaba en sus archivos los recortes inutilizados de la semana. Tuvo tiempo de bajar, buscar los platos plásticos de los perros, servirles un cazo de concentrado, volver a subir y lavarse las manos antes de que comenzara el noticiero. La primera tanda de propagandas le sugirió que con un sueldo de quince mil pesos podía ser banquero, le pidió tomar una gaseosa con sabor a uva (sólo porque la llevaba una joven en patines) y le ordenó urgentemente comprar el libro *El desafío mundial*. Después de todo ello, el bigote marrón y parlante del locutor anunció la noticia.

Las imágenes, al parecer, se habían tomado esa misma mañana. Ahí estaba Cuéllar, su cabeza puesta en una cama de micrófonos como la cabeza del Bautista en la bandeja de Salomé, anunciando su retiro temporal del Congreso de la República desde las escalinatas mismas del Capitolio Nacional.

«No, caballero, no se trata de *acallar* nada», decía: así, con esa respuesta a una pregunta que no había salido al aire, con ese hincapié irritado que la voz hacía en el infinitivo, comenzaba la edición de la nota. «No, para nada. Son razones personales. Me voy a tomar un descansito, es que este trabajo lo desgasta a uno, ¿sí me entiende? Mi familia me necesita, y la familia es lo primero, ¿o no? Por lo menos yo siempre he dicho eso.» Mallarino veía la imagen sentado en el marco de la cama; trataba de capturar, en su libreta de tapas negras, dos o tres detalles: la nariz agrandada por las cámaras, el brillo de los flashes en el pelo engominado, los cuellos altos de la camisa a cuadros que fabricaban un doblez y una sombra en la papada. Algo llamó entonces su atención: ¿un movimiento, una cara conocida? Mallarino inclinó el cuerpo hacia delante; vio a una mujer que mantenía un comedido silencio detrás del enjambre de periodistas; a pesar de que un segundo plano en una pantalla de televisor no es lo mismo que una foto protagonista en una página de periódico, reconoció a la esposa de Cuéllar, el pelo negro peinado en ondas trabajadas, los ojos maquillados de azul cielo, una pañoleta de seda de tonos sepias abrigándole el cuello largo. No supo qué pensar de esa presencia o esa compañía, pues la cara de la mujer estaba medio oculta y su expresión era inescrutable, y volvió a fijarse en el congresista. Era cierto que se le veía cansado: el cansancio, por lo menos, no lo estaba fingiendo. Se le veía en los ojos, pensaba Mallarino, esos ojos que parecían irritados por las luces, y también se le oía en la voz: ya no era la misma voz imprudente y repugnante que aquella tarde le había pedido clemencia y después disculpas, pero seguía teniendo algo en común con ella. ¿Qué era? La imagen de Cuéllar —su ejercicio de indiferencia o desenfado en las escalinatas de piedra del Capitolio— duró muy poco, unos breves segundos, y se cortó cuando, tras la última de sus respuestas indiferentes y desenfadadas, los reporteros se alzaron en una incomprensible salva de preguntas. El noticiero pasó a anunciar el desmantelamiento de una conspiración golpista en España, pero Mallarino se quedó pensando en la cabeza que hablaba entre micrófonos y comparándola con la cabeza que le había hablado a él, gacha y humilde, la tarde de la fiesta, y de repente estaba pensando también en la cabeza de la mujer que observaba desde atrás la escena entera, y luego volvió a pensar en el hombre de la fiesta y el hombre de la televisión. Y entonces lo supo: los dos eran hombres humillados. Era cierto que ahora, en la televisión, la humillación había sido más evidente y notoria, pero no era sino la versión exacerbada o extrema de la anterior humillación, o más bien la anterior había sido la siembra, y la actual, transmitida por televisión nacional a la hora de más audiencia, su pleno florecimiento. Y ahora volvió a fijarse en la mujer: la humillación, toda humillación, necesita un testigo. No existe sin él: nadie se humilla solo: la humillación en soledad no es humillación. ¿Era la mujer el testigo en este momento? ¿Lo eran los periodistas? ¿Conocían o no las verdaderas razones por las que Cuéllar se apartaba de su cargo? ¿Tenían o no en mente el dibujo de Mallarino? ¿Lo tenía él, Adolfo Cuéllar? Lo que más les molestaba a los caricaturizados, según lo había comprobado Mallarino con los años, no era verse a sí mismos con sus defectos, sino que los demás los vieran: como cuando sale a la luz un secreto, como si sus huesos fueran un secreto bien guardado y Mallarino lo hubiera revelado de repente. ¿Le ocurría eso a Cuéllar? Su mujer lo miraba, los periodistas lo miraban, Mallarino lo miraba, millones de personas en todo el país lo miraban... Cuéllar se había convertido en un ser visible, demasiado visible; Mallarino se imaginó observando la ciudad desde las alturas y al mismo tiempo imaginó la satisfacción que debían de sentir los pequeños, los hombres y mujeres que eran demasiado pequeños e insignificantes para ser vistos por él y por los que eran como él. Acaso Cuéllar, en estos momentos, habría preferido ser uno de esos hombres que nadie ve, una criatura anónima y escondida. O quizá, justamente, se estaba convirtiendo en una de ellas: al abandonar su posición de privilegio, al irse a las sombras y confundirse con los que no eran privilegiados, estaba también huyendo de las humillaciones futuras. Sin los privilegios, Adolfo Cuéllar estaría a salvo de los que, como Mallarino, ven el mundo a través de la humillación ajena; los que buscan en los otros sus debilidades —unos huesos, unos cartílagos— y se lanzan a explotarlas, como perros oliendo el miedo ajeno. Mallarino apagó el televisor. Al pasar el dorso de la mano por la pantalla, sintió en la piel, en los vellos de los dedos, el cosquilleo de la estática.

«Pobre güevón», le dijo Mallarino a la pantalla negra, a la cómoda, a la persiana cerrada. «Mejor hubiera sido quedarse en su casa.»

El segundo domingo de diciembre, poco antes de que comenzaran las fiestas de fin de año en la ciudad agitada y calurosa, Mallarino invitó a Magdalena a la primera corrida de la temporada. Un joven torero colombiano iba a recibir la alternativa; sus padrinos serían dos españoles, y uno de ellos, Antoñete, siempre había dado buenas faenas en la Santamaría; Mallarino pensó que todo ello podía muy bien servirle de pretexto para pasar una tarde junto a su esposa, los dos solos, y descubrir si era ilusoria la impresión que había tenido recientemente. La había venido sintiendo de unos días para acá, cada vez que se encontraba con Magdalena para entregar o devolver a Beatriz como una mercancía clandestina: era algo imposible de precisar, un suspiro que parecía involuntario en los besos de la despedida, un enderezarse del cuerpo cuando Mallarino, con una mano en la cintura, la hacía seguir primero por una puerta. Una noche, después del cumpleaños de un amigo común y la obligación de asistir juntos, se habían descubierto deseándose furiosamente, y hubo entre ellos el acuerdo tácito de cerrar los ojos y olvidarse de todo, incluso de lo que estaba a punto de pasar, como quien apuesta pensando que mañana verá qué hace si pierde. Fue un polvo de borrachos, un polvo de torpezas y exabruptos y encontronazos en la oscuridad de un sofá cuya tela dejaba marcas en la piel, y ni se repitió ni se mencionó siquiera, como no fuera para decir que si no se andaban con más cuidado, las cosas se les iban a complicar mucho. Pero ahora, de pie en las primeras filas a medio llenar de la zona de sombra, Mallarino pensaba que tal vez, que no era imposible: que había pasado ya el tiempo, y con el tiempo, muchas cosas. Sol estaba lleno a reventar: vio pañuelos de colores, vio cabezas con gafas oscuras, vio los árboles detrás de las banderas y las torres de ladrillo detrás de los árboles, y Magdalena estaba a su lado, y Beatriz los esperaba en casa de los abuelos. Le gustaba, siempre le había gustado, la inminencia del peligro impredecible, la amenaza que sentía cada vez que las puertas de madera escupían a uno de estos toros con sus cuatrocientos cincuenta kilos de carga, y le gustaba estar aquí, con Magdalena, sabiendo que a ella también le gustaban algunas cosas: le gustaba la música, el estruendo de los pasodobles con su acústica imperfecta; le gustaba el calor del comienzo de la tarde y el fresco del final. Todo estaba bien, pensó Mallarino, y luego el torero colombiano ya bordaba una faena de verónicas y remataba con más sabiduría que la que otorgaban sus años. Mallarino estaba mirando a Magdalena, la forma en que el sol reflejado desde el otro lado de la plaza le iluminaba la cara, cuando un banderillero sufrió una cogida sin importancia y la plaza entera soltó un aullido y Magdalena se llevó las manos a la boca, los dedos largos a la boca de labios gruesos, y Mallarino vio el brillo líquido de su mirada y pensó que tal vez, que no era imposible, que el tiempo había pasado, y con el tiempo, muchas cosas. El torero colombiano recibió los trastos de Antoñete. Todos aplaudieron. El torero colombiano hizo una venia graciosa; al juntar los pies, levantó una fugitiva nube de polvo. Bien está que se viva y que se muera, pensó Mallarino. Él estaba bien, Magdalena estaba bien, todo estaba bien.

Después de que el quinto toro, silbado en el arrastre, dejara una pista de sangre que parecía coagularse a la vista del público en la arena suelta, Mallarino levantó la cara y pensó que lo saludaban desde un piso alto de las Torres del Parque. Alguien movía los brazos, pero estaba lejos y su cara era un óvalo borroso, y Mallarino decidió que los saludos eran para otro. Al bajar la mirada, sin embargo, se encontró con otros brazos, otros aspavientos: era Rodrigo Valencia, que se quitaba la gorra como si sus señas, con ella en la mano, fueran más comprensibles. Mallarino entendió que se verían después. «Ah, mira», dijo Magdalena. «Qué raro, él por aquí.» La familia de Valencia se abonaba todos los años; Magdalena lo sabía bien; su sarcasmo, sin embargo, no parecía referirse a eso. ¿Qué notas nuevas había en su voz? Algo como un resentimiento, pero dudoso y tibio, carente de convicción, una música de niña caprichosa que merodeaba por el aire como si no estuvieran en un lugar público sino en la intimidad de su cuarto. «¿Qué pasa?», preguntó Mallarino. «¿No quieres que nos veamos con Valencia?» «Nos va a invitar a algún sitio. Yo no quería hacer nada esta tarde, quería... No quería hacer nada.» «Pues le digo que no. A lo que proponga le digo que no. Nada más fácil.» Magdalena se encogió de hombros al tiempo que el sexto toro salía alegremente, sacudiendo la arena con el redoble de sus pezuñas. El torero colombiano se manejaba bien con el capotillo, pero el ánimo de Magdalena se había ensombrecido. Sus manos se ocuparon del cinturón del abrigo y se refugiaron en los bolsillos hondos; de atrás les llegó un soplo de tabaco, y Mallarino tuvo, él también, unas repentinas ganas de fumar. Ahora la plaza se había puesto a silbarles a los picadores: les silbaba el viejo de al lado, salpicando de saliva los hombros del de adelante, y les silbaba Magdalena, que recibía por ello miradas reprobatorias de una señora de pelo tinturado. Después, cuando el torero colombiano falló con la espada y un desencanto recorrió la plaza como una maledicencia, Magdalena pareció por un instante volver a estar con él, aquí, lamentando la pérdida de las orejas, lanzando tontas vivas patrióticas mientras al jovencito lo levantaba en hombros un pequeño corrillo de entusiastas. «Qué poco se necesita», le dijo Mallarino luego, cuando iban saliendo a pasos recortados, rozándose los hombros y los brazos con los demás como las vacas de un corral. «Para que lo lleven a uno en hombros, quiero decir. Es como si la gente lo hiciera por gusto.»

«Tal vez lo hacen por gusto, bobo», dijo Magdalena.

Iban llegando a la Séptima cuando Mallarino sintió unos pasos apresurados detrás de ellos y luego el golpe de unos dedos ligeros en el hombro, en la hombrera de su chaqueta. «¿Y ustedes para dónde van?», dijo Rodrigo Valencia. «Respuesta: a ninguna parte. Ustedes vienen conmigo.» La cara de Magdalena se cubrió de tedio.

«¿Adónde?», dijo Mallarino. «Usted sabe que a mí me aburren los remates de corrida.»

«No es un remate de corrida, Javier.»

«Mucha gente hablando bobadas. Mucha gente que no va para ver, sino para que la vean.»

«Que no es un remate de corrida», dijo Valencia, repentinamente serio. «Tengo que contarle una vaina.»

Y así fue como se enteró Mallarino: casi por casualidad, en un momento casi privado, en compañía de la mujer que era casi su esposa. Valencia lo condujo, los condujo a él y a Magdalena, a un restaurante de los bajos del Hotel Tequendama, un lugar frío y desapacible con luces demasiado rojas desde cuya puerta se veía la boca de cemento gris del túnel que bajaba a los parqueaderos (y esto, quién sabe por qué, le causaba a Mallarino un intenso desasosiego). En una mesa oscura, junto a la ventana donde refulgía el nombre del restaurante en curvos tubos de neón, los esperaba un pequeño grupo de personas: Mallarino reconoció a dos reporteros de Judiciales y saludó a los demás desde lejos, sin entusiasmo, quizás porque ya sabía que el entusiasmo no era bienvenido en esta reunión. «Cuéntenle a Mallarino lo que me contaron a mí», dijo Valencia, las palabras lanzadas al aire sin un destinatario en particular, lanzadas para que las recogiera el más interesado. La interesada fue una joven —demasiado grande ya para llevar frenillo en los dientes— que empezó a hablar de Adolfo Cuéllar como si lo conociera de toda la vida. Habló de sus problemas maritales de los últimos meses, bien conocidos por todos, y del hecho, conocido por muy pocos, de que recientemente se había separado de su esposa, o más bien su esposa le había pedido que se fuera de la casa. Habló de la salud de Cuéllar, que no era impecable, y de la diabetes que lo obligaba a hacerse chequeos constantes de tres años para acá. Habló de la llamada que Cuéllar le había hecho a su internista esta mañana, pidiendo una cita con tanta insistencia que, a pesar de ser día de fiesta y de lo excepcional de las circunstancias, el médico no tuvo más remedio que dársela. Habló también del examen rutinario que tuvo lugar en el consultorio —habló de Cuéllar parado sin zapatos en la balanza, de Cuéllar acostado sin medias mientras el médico le toma el pulso junto al tendón de Aquiles, de Cuéllar sin camisa y respirando y tosiendo con fuerza—, y habló de la conversación que le siguió a la consulta allí mismo, con el paciente sentado en la camilla: sin camisa, sin medias, sin zapatos. Habló también de las cosas que, siempre según las declaraciones del médico, había mencionado Cuéllar, varias anécdotas en que aparecían su esposa y sus hijos y sobre todo la misma queja recurrente: la pérdida irreparable de su reputación. Habló del momento en que el médico salió del cuarto donde había tenido lugar el examen y se sentó detrás de su escritorio para buscar sellos y papeles con marca de agua y firmar una receta de antidepresivos, y habló entonces de lo que el médico decía haber oído: el ruido inconfundible de una ventana abriéndose y, unos instantes después, las ruedas de los carros chirriando al frenar y la reacción de los peatones, que debía de ser muy ruidosa, porque de otra manera no habría alcanzado a llegar a estas alturas desde la acera de la carrera 13. Y ahora, tras contar todo esto, la del frenillo miró a sus colegas, y Mallarino comprendió, en un mismo instante esplendoroso, que Valencia no lo había traído solamente para que escuchara el relato del suicidio de Adolfo Cuéllar, sino también para que respondiera a las preguntas de los reporteros, o a una sola declaración seguida de una sola pregunta, en esta improvisada y casi clandestina rueda de prensa. También esta vez fue la muchachita del frenillo la encargada. «Maestro Mallarino», dijo (y Mallarino vio las libretas de espiral alertas y los bolígrafos erectos sobre ellas como falos), «todos estamos de acuerdo, tal como lo está la opinión pública, en que la caída en desgracia del congresista Cuéllar comenzó con su caricatura. Mi pregunta, nuestra pregunta, es: ¿se siente usted responsable en alguna medida de su muerte?»

La opinión pública, pensó Mallarino. *La caída en desgracia.* ¿De dónde saldrían esas fórmulas? ¿Quién las habría inventado, quién habría sido el primero en usarlas?

«Por supuesto que no», dijo. «Ninguna caricatura es capaz de algo semejante.»

De ida a casa de los abuelos, el silencio en el carro era tupido, pastoso, concentrado. Bogotá, un domingo por la noche, es una gran ciudad desolada; si es época de Navidad y las calles están adornadas con luces, hay algo melancólico en ella, como una fiesta que ha salido mal. O esa impresión tenía Mallarino, que no sabía por qué sentía la mirada de Magdalena pesarle como un juicio. Si en algún momento, mil años atrás, había sido posible que el día terminara con una suerte de reconciliación (y acaso para eso habían dejado a Beatriz con los abuelos: para permitirse una o dos horas de retraso y el sexo que podía suceder en ese tiempo), esa posibilidad parecía alejarse ahora, enredarse un poco más en cada semáforo en verde que pasaban mientras navegaban hacia el norte por la carrera Séptima. Tuvieron que llegar frente a la casa donde había crecido Magdalena, tuvieron que apagar el carro y quedarse a oscuras en la calle, sólo iluminados por el resplandor del alumbrado público, para que Magdalena le dijera lo aterrada que estaba de haber visto lo visto. «Qué viste», preguntó Mallarino. «No sé a qué te refieres.» «Claro que sí, Javier, claro que sabes, sabes perfectamente», dijo ella. «Te diste cuenta perfectamente, tal vez te diste cuenta incluso antes que yo. A mí me tomó un par de segundos, te lo confieso. No me di cuenta de un momento a otro, no, sino poco a poco. No era fácil, también eso hay que reconocerlo, no era fácil darse cuenta. Pero yo me di cuenta, Javier, me di cuenta de que algo no estaba bien en ese ambiente, allá, en ese restaurante horrible que parecía lleno de humo aunque nadie estuviera fumando. Y estuve un rato pensando qué podía ser. Hasta que supe. Era la mirada de la gente, la mirada de esos reporteros y hasta de Rodrigo Valencia: eran miradas de admiración. Te estaban mirando con admiración. El tipo se mató esta mañana y ellos te estaban entrevistando, tenían que hacerte esa pregunta: pero la hicieron con admiración. O con asombro, o con sobrecogimiento, tú escoge la palabra que más te guste. Pero eso era lo que había en el ambiente, esa especie de temor que les inspirabas, sí, un temor reverencial. Y luego vino lo peor: cuando me di cuenta de que estabas orgulloso. Estabas orgulloso de esa pregunta que te hicieron, Javier, y quién sabe, tal vez estabas orgulloso de algo más. Tal vez estás orgulloso de algo más. Aquí, mientras hablamos, con nuestra niña durmiendo a pocos pasos, estás orgulloso. Estás orgulloso y yo no puedo entenderlo. Estás orgulloso y ya no sé quién eres. No sé quién eres, pero una cosa sé: que no quiero estar aquí. No quiero estar contigo. No quiero que Beatriz esté contigo. Te quiero lejos de ella y lejos de mí. Te quiero lejos, lejos, lejos.»

III.

En la mañana del viernes, poco después de las once, el campero de Mallarino serpenteaba hacia la ciudad por la carretera vidriosa. La lluvia azotaba la carrocería: era uno de esos aguaceros bogotanos que vuelven imposible la conversación pausada, hacen que los conductores frunzan el ceño y los obligan a cerrar las dos manos con fuerza sobre el timón. A la izquierda se alzaba la montaña, siempre amenazante, siempre a punto de desplomarse encima de la gente, esa montaña que parecía pasar por debajo de la cinta gris de la carretera, caer a la derecha en una pendiente tosca y estallar, en la distancia, convertida milagrosamente en el trazado borroso de la ciudad desperdigada. En el horizonte, ese punto donde las colinas del occidente ya no eran verdes, sino azules, el cielo de nubes cargadas de lluvia se adornaba con las luces de los aviones en el aire como una puta vieja probándose un par de aretes.

Mallarino había dormido poco y mal, sin perder nunca la conciencia de que a pocos pasos, en el cuarto que había sido de Beatriz, estaba Samanta. Samanta Leal: la mujer que ya no era una niña, la mujer capaz de mentir y actuar para meterse en su casa y recordar (o pedir que él recordara, como una mendiga de la memoria) lo sucedido veintiocho años atrás. Estuvo atento a sus movimientos cuando ella se levantó en medio de la noche para ir al baño; atento, inevitablemente, a sus ruidos líquidos: al chorro de su orina, al desagüe indiscreto, al agua limpia que lavaba las manos. Cuando entraron las primeras luces, al comenzar el ligero alboroto de los colibríes, Mallarino ya llevaba un buen rato despierto: despierto y pensando en Samanta Leal, despierto y sintiendo lástima, lástima genuina, lástima por la noche de total desamparo que su huésped debió de pasar. Samanta Leal estaba sola, sola con esos nuevos recuerdos que acababa de adquirir y que modificaban su vida entera, todo lo que hasta ahora había creído saber de sí misma, o por lo menos lo desplazaban levemente, lo suficiente para cambiar toda la perspectiva. En un cuadro de Holbein hay una calavera que sólo se ve bien de lado, no de frente: ¿le pasaría algo parecido a Samanta Leal? Hoy se despertaría siendo otra; ahora mismo estaría visitando sus memorias más queridas y examinándolas de nuevo, no con cariño esta vez, sino con sospecha. Pobre. Mallarino le había dado una toalla y una colcha extra, por si sentía frío. Antes de meterse al cuarto de Beatriz como quien se esconde en su cueva, Samanta le habló a Mallarino de la noche de la ceremonia, de lo que le había sucedido en ella, y él no pudo no pensar que le hablaba como si se refiriera a otra persona. Lo cual, en más de un sentido, tal vez era cierto: Samanta ya era otra. Esta mujer hablaba de la mujer que había sido tan sólo unas horas antes.

Samanta contó de sus compañeros de trabajo en la Misión Gaia (una fundación ambientalista donde llevaba dos años trabajando) y de la admiración que alguno de ellos sentía por la obra y la figura de Javier Mallarino. No recordaba quién había propuesto que fueran todos juntos al centro, a la ceremonia del Teatro Colón donde la reputación de Mallarino quedaría consagrada para siempre, pero la idea fue bien acogida. Ser testigos de ese momento: ¿no era una oportunidad maravillosa? Ella aceptó la invitación —más por curiosidad que por otra cosa— y horas más tarde se descubrió sentada en un palco sin luz, asistiendo al principio de una ceremonia que pintaba de lo más aburrido, preguntándose en qué se había metido y jurándose que se iba a salir en cuanto pudiera. Entonces comenzó la proyección; una, dos imágenes invadieron la sala, luego tres; Samanta las miraba distraídamente, como se mira el fuego, y al cabo de un rato se dio cuenta de que ya no las estaba mirando distraídamente: de que reconocía algunas imágenes: de que reconocía esa casa. Se dio la vuelta y le dijo a su colega: «Yo he estado ahí». Le causó risa esa sorpresa, una risa tonta.

Toda la situación tenía algo de absurdo, y absurda era la expresión risueña que apareció entonces en la cara del colega: «¿En la casa de Javier Mallarino?» Y ella le aseguraba que sí, que había estado ahí, en esa casa, y él se burlaba y se reían. Pero luego Samanta comenzó a reconocer cosas: un par de cuadros, por ejemplo. El de las tres caras, por ejemplo. Ya no le pareció tan divertido todo el asunto. «Yo he visto este cuadro antes», le dijo a su colega, y los vecinos irritados chasquearon la lengua para ordenarle silencio. «Yo he estado en esa casa», siguió Samanta. Pero ya no lo dijo riendo; ya no le parecía tan divertida la sorpresa; los vecinos seguían diciéndole que se callara. Así que Samanta ya no habló más del tema. Ya no dijo que había estado allí; ya no dijo que había visto antes ese cuadro. Guardó silencio. Lidió como pudo con las preguntas sin forma que la acosaban. Empezó a imaginar posibilidades. Y al día siguiente llegaba a la casa de la montaña y mentía y actuaba y todo el tiempo trataba de recordar y de que Mallarino recordara, sí, también eso: de que Mallarino recordara. Y todo para nada.

«Tampoco sé muy bien qué importancia tiene esto», dijo Samanta. «Aquí me tiene, señor Mallarino: soy la que soy, eso no va a cambiar. Veintiocho años: una vida entera. ¿A quién le importa ya? Tal vez es mejor dejarlo todo de ese tamaño, ¿no? Quién me manda andar escarbando en lugar de dejar las cosas quietecitas. ¿No era mejor que todo se quedara como estaba? ¿No estaba yo muy bien así, sin saber esto que ahora sé? Eso pertenece a otra vida, una vida que nunca ha sido mi vida. Me la quitaron. Me la cambiaron. Mis papás me la cambiaron. Me dieron otra: una donde eso no hubiera pasado. El pasado de un niño es de plastilina, señor Mallarino, los adultos pueden hacer con él lo que les venga en gana. *Podemos,* quiero decir, podemos hacer lo que nos venga en gana. Así fue conmigo. Un año pasó, y luego el otro, y esa vida de antes se fue quedando atrás, hasta que dejó de existir. Esa niña de antes, esa niña a la que le pasaron ciertas cosas, se durmió y se murió, señor Mallarino. Dejó de existir, como un cachorrito entecado. Y un buen día esa niña tiene treinta y cinco años y ve una proyección en un teatro y siente algo raro, algo que nunca había sentido. Yo no sabía que eso podía pasar. Estar sentado ahí y sentir esas cosas raras. Con cada minuto que pasa, con cada minuto, sentir cosas más raras todavía. Están hablando en el escenario, hay discursos, pero uno no los oye. Uno tiene la atención en otra parte. Uno está recordando cosas. Uno tiene intuiciones, digamos, intuiciones incómodas. Le llegan recuerdos a medio formar, como fantasmas. ¿Qué hace uno con eso? ¿Qué hace uno con los fantasmas? Eso me pregunté anoche. Me pasé la mitad de la noche recordando cosas y la otra mitad preguntándome cuáles recuerdos eran de verdad y cuáles de mentira. He comenzado a recordar cosas, pero ya no sé si me acuerdo porque me acuerdo, señor Mallarino, o si me acuerdo porque usted me lo contó. ¿Me acuerdo porque usted me puso el recuerdo en la cabeza? Toda la noche pensando en eso. No es fácil, no es fácil saberlo. El problema es que ya ha pasado una vida entera, señor Mallarino, y mi pregunta es: ¿a quién puede importarle todo esto? Lo que pasó, lo que no pasó, ¿a quién le importa?»

A quién le importa, pensaba Mallarino esta mañana. Esperó a que la cafetera dejara de borbotear y sacó la jarra de vidrio; una gota cayó en la plancha caliente y la plancha soltó un siseo de gato agresivo. Con la taza de café nuevo en la mano, Mallarino recogió el periódico y lo leyó de pie frente al mesón de la cocina, de espaldas a la ventana escarchada, muerto de frío y con su carboncillo en la mano, hasta darse cuenta de que no estaba entendiendo nada, pues su conciencia estaba en otra parte. En otra parte, sí, o en otro tiempo, y en todo caso muy lejos del periódico —ese grosero adulador del momento presente— y sus anuncios de fiestas y actos y discursos y más discursos y cielos cubiertos de globos, grandes globos de colores, todo ello diseñado para celebrar el bicentenario de la Independencia colombiana. *A quién le importa,* pensó Mallarino, y luego pensó: *Me importa a mí.* Se sirvió más café; subió a su estudio; se fijó en la caricatura de Daumier, donde la misma cara regordeta del rey Louis-Philippe (su cara de pera, así lo habrían visto los franceses de su época, un rey con cara de pera) miraba al pasado, al presente y al futuro: Mallarino se dijo que su propia situación no parecía muy distinta en este momento. Esa cara era como la suya, quizás. Pero esa cara le decía: todo es presente. Lo que recuerdo, pensó Mallarino, está sucediendo ahora. Era demasiado temprano para llamar a Rodrigo Valencia, así que Mallarino sacó una de las hojas del fax —esas hojas demasiado blancas y demasiado gruesas cuyos filos hacían cortes dolorosos en los dedos de los desprevenidos— y escribió el mensaje a mano, con su caligrafía cuidada, fechándolo en una esquina y firmándolo después como lo había hecho siempre: como si se tratara de una carta. Valencia, pensó, se encontraría el mensaje apenas llegara a la redacción.

Rodrigo:

Quiero pedirle un favor urgente. ¿Se acuerda de Adolfo Cuéllar, el congresista? Bien, necesito los datos de la viuda. Dirección, teléfono, lo que pueda conseguirme. No sé si ya le dije que es urgente.

Un abrazo,
Javier

La llamada entró antes de lo previsto. «Pero si es la estrella más brillante del firmamento colombiano», le dijo Valencia, «y mi corresponsal de fax número uno. A ver, a ver, cuente pues qué es esto tan raro, qué es lo que tiene en la cabeza». A Mallarino le pareció que Valencia gritaba demasiado; por un segundo tuvo la tentación de decirle que bajara la voz, pero no lo hizo. Le pidió que recordara la tarde de la fiesta, veintiocho años atrás, y que recordara a la niña, la amiguita de Beatriz. «Ella necesita hablar con la esposa de Cuéllar», dijo Mallarino, «preguntarle unas cosas. ¿Me puede conseguir esos datos? Pídaselos a alguien de ahí, a su secretaria, a uno de sus investigadores. Cinco minutos: seguro que su gente se demora cinco minutos». Se hizo un silencio. Mallarino imaginó la mirada vacía de Valencia posándose en cualquier parte: en la lapicera, en las teclas del computador, en las paredes donde reinaban las caricaturas que Mallarino había hecho, años atrás, de él y de su esposa. Al final, Valencia dijo: «¿Esa niña? ¿Usted conoce a la niña?»

«Mire, es largo de explicar», dijo Mallarino. «Ella está aquí, conmigo, y necesita esos datos.»

«Un momento, un momento. ¿Está con usted?»

«¿Me los consigue o no?»

«Un momento, Javier. ¿A usted o a la niña? Que ya no debe ser una niña, pero en fin. ¿Cómo es esto de que está con usted? ¿Cómo se llama?»

«¿Me consigue los datos?»

«¿Cómo se llama?»

«Samanta Leal. A usted qué le importa. ¿Me consigue los datos?»

«Pero es que no entiendo. Necesito más información, hay algo que me falta. No, ya sé lo que me falta: entender. No entiendo, eso es lo que pasa.»

«No tiene que entender, Rodrigo: tiene que hacerme un favor. Y hacer favores es más fácil que entender. Mire, la cosa es muy simple. Usted está en su oficina, ¿verdad? Ahí, en esa vitrina que tiene en vez de oficina, a la vista de todo el mundo. Pues siga mis instrucciones. Levante la mano, que lo vean desde afuera. Cuando entre el primero de sus esclavos, usted le pide esto. Y cuando lo tenga, me manda un fax. Sencillísimo.»

«Pero para qué», dijo Valencia. «Cómo llegó esta persona a su casa. Qué le está pidiendo. Qué está pasando, eso es lo que quiero saber.»

«No está pasando nada.»

«Claro que sí. O me cuenta, Javier, o no le ayudo.»

«Pues no me ayude», dijo Mallarino. «Y váyase a la mierda.»

«Mire, Javier, entiéndame usted a mí», dijo Valencia. «Esto no es normal. ¿O a usted sí le parece? ¿Le parece normal que esa niña se aparezca así como así?»

«No es una niña.»

«¿Que se aparezca tantos años después y le pida esto?»

«No me ha pedido nada», dijo Mallarino. «Esto es idea mía.»

«¿Cómo así?»

«Es para ayudarle. Ella no se acuerda.»

Mallarino se quedó entonces en compañía del silencio de la línea, ese silencio imperfecto como la oscuridad de los ciegos. En su imaginación, Valencia fue una de esas caricaturas del siglo XIX donde el personaje aparece cubierto de signos de interrogación y con una intensa expresión de desconcierto, y luego imaginó la cabeza de Valencia convertida en una silueta, una línea negra, y aquellas cuatro palabras, *Ella no se acuerda*, golpeando contra la línea, moscas desesperadas en una caja de cristal. Al cabo de unos largos segundos, más largos porque el tiempo, cuando se está al teléfono, no puede medirse con las facciones del interlocutor —no se notan sus cambios apenas perceptibles, sus anuncios, las intenciones que en ellas se dibujan—, Valencia soltó un par de gruñidos, algo como un carraspeo, como un eructo contenido. «Ah», dijo entonces, «ya veo lo que pasa. La niña no sabe».

«No es una niña», dijo Mallarino.

«No sabe, ese es el problema. Nunca se lo dijeron.»

«No se acuerda.»

«Y usted quiere ayudarle.»

«Ayudar a que se acuerde.»

«Ayudarle a que sepa», dijo Valencia como escupiendo un caramelo atragantado. «Porque si ella no sabe, usted tampoco.»

Algo parecido al alivio: eso sintió Mallarino. Quizá se debiera a que otro, y no él, había dicho lo que él no se atrevía a decir. *Porque si ella no sabe, usted tampoco:* ¿no era increíble, y también fascinante, que estuvieran hablando del pasado? Aquello que no se sabía ahora —ahora que lo mencionaba Rodrigo Valencia— era algo que en el pasado se había sabido, sobre lo cual hubo certeza en algún momento, y tan cierto había sido que Mallarino llegó a hacer una caricatura al respecto. ¿No era cierto, más allá de toda duda o incertidumbre, lo que aparecía en la prensa? ¿No era una página de un periódico la prueba suprema de que algo había ocurrido? El pasado se le figuró a Mallarino como una criatura acuosa de contornos imprecisos, una suerte de ameba engañosa y deshonesta que no se puede investigar, pues, al volver a buscarla en el microscopio, nos encontramos con que ya no está, y sospechamos que se ha ido, y comprendemos enseguida que ha cambiado de forma y resulta imposible reconocerla. *Porque si ella no sabe, usted tampoco.* De manera que las certezas adquiridas en algún momento del pasado podían dejar de ser certezas con el tiempo: algo podía suceder, un hecho fortuito o voluntario, y de repente toda evidencia quedaba invalidada, lo verdadero dejaba de ser verdadero, lo visto dejaba de haber sido visto y lo ocurrido de haber ocurrido: perdía su lugar en el tiempo y en el espacio; era devorado y pasaba a otro mundo, o a otra dimensión de nuestro mundo, una dimensión que no conocíamos. ¿Pero dónde estaba? ¿Adónde se iba el pasado cuando cambiaba? ¿En qué pliegues de nuestro mundo se escondían, cobardes y avergonzados, los hechos que habían sido incapaces de permanecer, de seguir siendo ciertos a pesar del deterioro que les imprimía el tiempo, de ganarse su lugar en la historia de los hombres? *Porque si ella no sabe, usted tampoco.* Pero el problema con Samanta Leal no era que no supiera, sino que no recordaba: que la memoria, su memoria de niña, había sufrido ciertas distorsiones, ciertas —cómo decirlo— *interferencias.* Era cuestión de restaurarla: para eso, y no para otra cosa, necesitaban hablar con la viuda de Cuéllar, hacerle un par de preguntas simples, obtener de ella un par de simples respuestas. «No es por mí», dijo Mallarino. «Es por ella. Quiero ayudarle a ella.»

«¿Pero lo ha pensado bien, Javier?», dijo Valencia.

«No hay mucho que pensar.»

«¿Ha pensado en las consecuencias? No me diga que no hay consecuencias. No me diga que no se las ha imaginado. A ver, déjeme ver: ¿la niña no se acuerda de nada?»

«No es una niña. Y no, no se acuerda de nada.»

«Ya veo. Para ella es como si nada hubiera pasado.»

«Exacto.»

«Salvo que sí pasó, Javier.»

Mallarino no dijo nada.

«Sí pasó», dijo Valencia, «y todos lo vimos».

Qué extraña arrogancia se movía, como la resaca en la orilla del mar, por debajo de esas palabras tan simples en apariencia, tan vagas, tan cotidianas. Lo arrogante era simular o incluso codiciar esas certidumbres, como si Valencia pudiera ya no sólo estar seguro de lo que vio él mismo, sino también de lo que vieron los otros, los que ahora, veintiocho años después, se encontraban ausentes o desaparecidos o en todo caso mudos. La memoria de los otros: ¡cuánto daría en este momento por una entrada a ese espectáculo! Allí, pensó Mallarino, tenían origen nuestra insatisfacción y nuestras tristezas: en la imposibilidad de compartir con los otros la memoria.

«Pero eso no importa», dijo Mallarino. «A mí, por lo menos, no me importa eso. Es ella. La pobre tiene derecho a saber.»

«Ah, es sólo por ella.»

«Es lo que le estoy diciendo.»

«Sólo por ella, sí», dijo Valencia. «Oiga, ¿y usted me cree güevón?»

Mallarino no dijo nada.

«¿Cree que no me doy cuenta?», dijo Valencia. «Pues me doy cuenta, me doy cuenta perfectamente. De lo que puede pasar ahora si esa noche no pasó nada. De lo que puede cambiar para usted. Y lo entiendo, créame, entiendo su preocupación, por lo menos en principio.»

«Yo no estoy preocupado.»

«Yo creo que sí. Porque si no pasó nada, y usted hizo ese dibujo... Por supuesto, por supuesto que lo entiendo. ¿Pero le digo una cosa? Todos estábamos. ¿Y le digo otra? Lo último que usted quiere hacer es ponerse a preguntar. Eso es lo último. Usted no tiene la culpa de nada, Javier.»

«¿Pero quién está hablando de culpas?», lo cortó Mallarino. «Yo no estoy hablando de culpas, nadie está hablando de culpas. Se lo digo otra vez, Rodrigo: no es por mí. Es por ella.»

Silencio. Al cabo de un instante, cuando habló Valencia, fue como si la voz se le hubiera caído al suelo: una voz pisoteada, sucia, desgastada por el uso.

«Ya veo», dijo. «Y entonces la idea es buscar a la viuda.»

«Sí.»

«Y hablar con ella, preguntarle.»

«Sí.»

«Pero qué estupidez», dijo cansadamente Valencia. «Es lo más estúpido que he oído en mi vida.»

«No veo por qué», dijo Mallarino. «Nosotros sólo...»

«Qué imbéciles», dijo Valencia.

«Oiga, un momento.»

«Qué imbécil es usted. Con ella no me meto, yo no sé qué tenga en la cabeza. Pero usted es un imbécil. ¿Y qué van a hacer, si no le importa que se lo pregunte?»

«No sé qué vamos a hacer. Pero eso es cosa...»

«¿Van a llegar a golpearle en la puerta y ella los va a hacer seguir, qué tal, cómo están, y les va a servir un tinto? O es que la niña va a presentarse: mucho gusto, señora, quería saber qué fue lo que me hizo su marido. ¿Es eso?»

«Váyase a la mierda, Valencia.»

«No, no es eso, ¿verdad? No es eso. Ella es lo de menos, Javier, a usted lo que menos le importa es lo de ella. Usted quiere simplemente estar tranquilo. Quiere confirmar que no se equivocó, ¿no es eso? Quiere confirmarlo. Es una imbecilidad, Javier, piénselo bien, dese cuenta. Todos estábamos ahí. Todos, todos estábamos: ¿se va a poner a dudar de lo que pasó, siendo que estábamos todos? Pero supongamos que no, supongamos que no pasó eso. Dígame, ¿qué quiere cambiar usted? Ya no se puede cambiar, Javier, ya eso está hecho y terminado. Cuéllar se tiró de un quinto piso: más irreversible no se puede. ¿Y le digo una cosa? A nadie le hace falta. No nos ha hecho falta en todos estos años. Estamos mejor sin él. Es más: ya se nos olvidó a todos. Ya lo olvidamos. El país lo olvidó. Hasta su partido lo olvidó. Ya en esa época se avergonzaban de él, Javier, ¿usted cree que a alguien le interesa que vuelva a aparecer su nombre en los periódicos? Era un tipo despreciable, este Cuéllar. Usted, en cambio, es importante: es importante para el periódico y es importante para el país. Este país es una selva, Javier. Contamos con un poco de gente para que nos ayude a llegar al otro lado, sanos y salvos, sin que nos coman las fieras. Y las fieras están en todas partes. Usted levante la cara y se va a dar cuenta. En todas partes, Javier. Y están disfrazadas, están donde uno menos piensa. Pongamos que usted se equivocó. Pongamos que nos equivocamos. De todas formas, el tipo era un ser despreciable. Lo había demostrado mil veces, iba a demostrarlo otras mil. ¿Ahora va a ir usted y convertirlo en un mártir, así sea sólo para la viuda? Usted va y confiesa que hizo el dibujo sin haber visto realmente, sin estar realmente seguro. Muy bien. ¿Y luego qué? ¿Se imagina lo que las fieras pueden hacer con eso? ¿Se imagina lo que pasará cuando las fieras se den cuenta de que pueden descabezarlo a usted? Y por algo que pasó hace tiempos, además. ¿Cree que se la van a perdonar? No se la van a perdonar. Le van a cortar la cabeza, las fieras de este país de fieras le van a cortar la cabeza. Todos los que lo odian, los que nos odian, todos los fanáticos se le van a echar encima. Cuando se den cuenta de que usted tiene dudas: se le van a echar encima. En nuestra época no se puede tener dudas, Javier, el que duda se muere. Hay que verse fuerte, porque si no, lo matan a uno. Usted quiere pararse frente a ellos y quitarse el chaleco antibalas y decirles que disparen. Y van a disparar, créame. Lo van a fusilar. ¿De qué sirve eso, Javier? A ver, explíquemelo, explíqueme la utilidad de toda esta vaina ridícula, porque yo no la veo, le juro por mi puta madre que no la veo. No sé de qué sirve esto y necesito que me lo diga. Claramente, sin metáforas imbéciles, sin güevonadas. A ver, dígamelo, dígamelo en dos palabras: ¿de qué sirve?»

«A usted, de nada», dijo Mallarino. «Pero le sirve a ella.»

Silencio.

«Pues que se joda, Javier», dijo Valencia. «Jódanse los dos.»

Y se cortó la comunicación.

De manera que lo que hubiera podido saberse en veinte minutos se acabó sabiendo en dos horas: Mallarino tuvo que sacar su libreta de teléfonos descuadernada y amarillenta y cuyas hojas se desprendían sin remedio, pobre libreta alopécica, y llamó a un reportero de Judiciales y a los redactores de la competencia —de Nacional, de Actualidad y de Política—, e incluso a un representante a la Cámara que le debía varios favores. En pocos minutos le estaban devolviendo la llamada, todos y cada uno de ellos, volcados en las necesidades inmediatas de Javier Mallarino. Su nombre le ayudó, tenía que reconocerlo, pero no le preocupó en lo más mínimo abusar de su reputación para lograr estos modestos fines, pues, después de todo, ¿no eran esos periodistas y esos políticos quienes le habían dado esa reputación y el poder que ella contenía? Eso sí, Mallarino habría conseguido la información mucho más rápido si esa información hubiera estado en posesión de los interrogados. Pero no lo estaba: a algunos les costó trabajo recordar a Cuéllar; otros ni siquiera sabían que había existido. Tenía razón Valencia: al hombre se lo había tragado el olvido. Nada sorprendente, por otra parte, en este país amnésico y obsesionado con el presente, este país narcisista donde ni siquiera los muertos son capaces de enterrar a sus muertos. El olvido era lo único democrático en Colombia: los cubría a todos, a los buenos y a los malos, a los asesinos y a los héroes, como la nieve en el cuento de Joyce, cayendo sobre todos por igual. Ahora mismo había gente en toda Colombia trabajando con tesón para que se olvidaran ciertas cosas —pequeños o grandes crímenes o desfalcos o tortuosas mentiras—, y Mallarino podía apostar a que todos, sin excepción, tendrían éxito en su empresa. También a Ricardo Rendón lo habían olvidado. Ni siquiera él había logrado salvarse. Tal vez también en esto tenía razón Rodrigo Valencia: no servía de nada. ¿De qué sirve?, había preguntado él, y se refería a otra cosa, por supuesto, pero había logrado que Mallarino retuviera la pregunta y se la hiciera ahora, con algo de melancolía: ¿de qué sirve?

Y ahora el campero entraba en la ciudad, y la carretera de montaña se convertía poco a poco en vía suburbana y luego en avenida, y las nubes de lluvia parecían cruzarse con ellos, avanzar en sentido contrario, dirigirse tercamente al lugar de donde ellos venían: a la casa de la montaña. Mallarino detestaba ese trecho donde uno se encontraba de repente rodeado de espantosos edificios de ladrillo, la temperatura subía dos o tres grados y los conductores, que no se percataban del cambio, comenzaban, en maniobras arriesgadas, a quitarse la chaqueta mientras conducían. Él nunca había tenido que quitarse la chaqueta: a diferencia de los demás habitantes de las montañas, que salían de sus casas bien abrigados con sobretodos y bufandas (y no era infrecuente ver a alguien manejando con guantes de cuero), Mallarino solía vestirse con ropas ligeras, nada más que una camisa y un blazer de pana cuyas vetas cambiaban de color con los roces de la mano, y prefería dejar la gabardina en el asiento trasero del carro, lista para cualquier eventualidad. Samanta Leal, sentada a su lado, se había quejado del frío y había hundido la cabeza entre los hombros, como un pollito, y recién ahora comenzaba a relajarse. La hoja de la información era un tubo de papel enroscado; las manos de la mujer se aferraban al tubo como empujando una cortadora de pasto. Mallarino las miraba de reojo, miraba los nudillos blancos y la argolla delicada que era su único adorno, y luego miraba el perfil de Samanta, el ángulo marcado de su maxilar, los hombros de alumna atenta pegados al espaldar de la silla, el cinturón de seguridad que cruzaba entre sus senos como el carcaj de una cazadora. Allí, en el rollo de papel, estaban la dirección y el teléfono de Carmenza de Torres, que alguna vez fue la mujer de Adolfo Cuéllar y la madre de sus hijos y luego su viuda; Carmenza de Torres, que se vio obligada, tras la muerte de su marido el congresista, a terminar los estudios de Hotelería y Turismo que había abandonado en el momento de su primer embarazo, y al cabo del tiempo acabó trabajando en una agencia de viajes, distinguiéndose como vendedora, convirtiéndose en asistente personal del dueño, casándose con él y comenzando una nueva vida bajo un nuevo apellido: un apellido limpio, un apellido sin memoria. Todo eso averiguó Mallarino con la ayuda de sus admiradores. Averiguó también que la agencia se llamaba Viajes Unicornio, que el local quedaba frente al Parque Nacional y que doña Carmenza iba todas las tardes, de dos a seis, pero nunca por las mañanas («¿*Todas* las tardes?», preguntó Mallarino; «Sí, *todas* las tardes», le aseguraron). Ahora, avanzando hacia la Circunvalar a cuarenta kilómetros por hora, Mallarino trazaba para Samanta el itinerario del día. La dejaría a ella en su casa para que pudiera descansar un poco y cambiarse de ropa; cumpliría una cita que tenía en el centro; se encontrarían en la agencia de viajes a las tres en punto. ¿Le parecía bien a Samanta? Ella, la mirada fija al frente, asintió como asienten los condenados.

Una cita en el centro. ¿Qué estaría haciendo Magdalena en estos instantes? De repente le urgía verla, estar con ella y oír su voz, como si al hacerlo pudiera probar de alguna manera retorcida que no todo el pasado era móvil e inestable. Magdalena también era el pasado. Pero Magdalena era firme. Mallarino la imaginó, por una suerte de automatismo, frente a un micrófono doble, dos tubos largos y plateados. La mesa de la imagen era de madera y cubierta con un paño marrón; sobre el paño había un cronómetro, para que Magdalena pudiera medir el tiempo de sus monólogos sin consultar el reloj digital de la pared. Pero todo esto era una mera especulación: él ni siquiera estaba seguro de que Magdalena grabara sus programas por la mañana. En la avenida, el tráfico se movía lento, más lento de lo normal. El campero pasaba entre esqueletos de edificios del color del óxido y árboles urbanos, esos tristes árboles con sus copas que nadie ve nunca y sus hojas asfixiadas en las ramas bajas. Samanta había dado las indicaciones y propuesto las rutas mejores, dibujando con palabras un mapa que Mallarino se pudiera figurar en la cabeza, y luego se había callado, como si buscara con la fuerza del silencio que Mallarino olvidara su presencia. «¿Por dónde bajo?», preguntó él. La mano de ella se movió frente al parabrisas, sombra incompleta de una palomita, pero ni una palabra salió de su boca; y al girar la cabeza, tratando todo el tiempo de mantener el control sobre lo que ocurría en la avenida, Mallarino se dio cuenta de que Samanta había comenzado a llorar. Era un llanto sigiloso y cansado, como el de quien ya ha llorado mucho: era un resto, un sobrado de llanto. «No llore, Samanta», dijo él; se sintió inmediata, irrevocablemente estúpido; pero no encontró en los archivos de su cabeza otras palabras de consuelo. No tenía muchas, tampoco, y no las usaba a menudo. Y se sintió inmediata, irrevocablemente estúpido.

«Perdón», dijo Samanta. Sonrió, se limpió con la misma mano las lágrimas de ambos ojos, volvió a sonreír. «Es que yo estaba bien. Yo no necesitaba esto.»

«Yo sé», dijo Mallarino.

«¿Le puedo hacer una pregunta?»

«Hágame una pregunta.»

«¿Y ahora qué pasa?»

«A qué se refiere.»

«Pues eso, que ahora qué pasa. O mejor: qué va a pasar esta tarde. Qué va a pasar después de las tres. ¿Tengo la obligación de seguir como antes? No sé qué me van a decir, ¿pero tengo esa obligación? ¿Y qué pasa si decido que ya no quiero, que ya no quiero nada de esto? Ahora mismo, aquí, antes de llegar a mi casa. ¿Qué pasa si prefiero que se me olvide todo otra vez? ¿Si prefiero volver a como estaban las cosas antes de la puta ceremonia esa? ¿No tengo ese derecho?»

«¿Es eso lo que quiere, Samanta?»

«Ay, no sé», dijo ella. «Me duele la cabeza.»

«Podemos parar a comprar algo.»

«Y me quiero cambiar de ropa», dijo Samanta. «No soporto la ropa sucia.»

«Pues esta ropa sucia se le ve muy bien», dijo Mallarino. Su intención no fue la de hacer un piropo barato, pero así se habían oído las palabras. No faltaban a la verdad, de todas formas: en la mañana, al ver a Samanta salir del antiguo cuarto de Beatriz con el pelo mojado por la ducha, pero llevando la misma blusa y la misma falda de la tarde anterior, Mallarino había encontrado la escena entera extrañamente erótica. No se lo dijo a Samanta, por supuesto: las mujeres no tenían por qué mostrar comprensión ante los impulsos imbéciles de los hombres, ni soportarlos ni tolerarlos siquiera, ni aguantarse cualquier piropo que les lanzaran, por más bienintencionado que fuera. El suyo lo había sido, y sin embargo notó o creyó notar una repentina tensión en los músculos de Samanta, cuyos hombros se pegaron más a la silla, cuyas piernas estiradas se retrajeron. ¿Se había molestado? «Me duele la cabeza», volvió a decir, pero hablando esta vez para sí misma. Una moto con las luces encendidas cruzó violentamente a su lado; detrás venía una camioneta de vidrios oscuros, y más atrás todavía, un furgón militar del que salían los cañones opacos de los fusiles: ¿el presidente, algún ministro? Ahora Samanta volvía a pasarse la mano por los ojos, barriéndolos con descuido, refregándose las córneas como dicen que no se debe hacer nunca (hay riesgo de rasparlas gravemente). En el dedo índice, notó Mallarino, quedó un rastro húmedo como el de un caracol. «¿Por dónde bajo?», dijo Mallarino.

«Ya casi», dijo Samanta, «yo le aviso». Y tras un silencio: «Eso es lo jodido. No saber no es lo jodido, no. Lo jodido es no saber si quiero saber. O si estoy mejor como estaba antes». Mallarino le dijo que sí, que él también sentía la incertidumbre, que él también… «No, usted no sabe», lo cortó Samanta. Mallarino percibió cierta hostilidad. «No puede saber. Ustedes creen que saben, se imaginan que saben, y no es verdad. Si supiera lo insultante que resulta eso. Que crean que saben. Que crean que se imaginan. No es así.»

«No me entiende, Samanta.»

«Es un insulto. Que crean. Que se imaginen.»

«No quiero decir eso», dijo Mallarino. «No se ponga así, por favor.»

Con un gesto que le pareció a Mallarino débil y al mismo tiempo autoritario, Samanta indicó una bocacalle de muros de ladrillo oscuro coronados con vidrios de botella: unos transparentes, otros verdes, testimonios de tiempos más inocentes donde esas estrategias desanimaban a los ladrones. «Baje por esta. Métase por la siguiente a la derecha. Pero no se vaya a pasar, que luego la vuelta es absurda.» La voz de Samanta se hacía quebradiza, como si se le estuviera enredando en alguna parte. «Ese edificio, el único que hay», dijo o más bien ordenó, y su mano se levantó lo suficiente para señalar una caja de ladrillo y ventanas de marco de aluminio blanco y velos detrás de las ventanas y siluetas de mujeres detrás de los velos: allí, en una calle de casas viejas de Chapinero, el edificio de Samanta era algo que se le ha olvidado a alguien. Ella señaló el espacio junto a la acera donde Mallarino podía estacionar: junto a un árbol de tronco grueso cuyas raíces se derramaban sobre la calzada. Un carro debía de haberse marchado poco antes, tras el fin de la lluvia, porque todavía era visible en el suelo gris el perfecto rectángulo seco de un gris más claro. Antes de que se hubieran detenido por completo, con el murmullo agripado del motor todavía cortando las sílabas más débiles, Samanta dijo: «Quince años, señor Mallarino». Un mensajero pasó en bicicleta, la bota derecha del pantalón de dril metida en la media de un naranja fluorescente. «Yo tenía quince años. Mi papá se había ido de viaje. Viajaba mucho, un vendedor de seguros puede viajar mucho: Cali, Cartagena, Medellín, y a partir de un momento Caracas, Quito, Panamá. Yo estaba en una fiesta. Mi mamá me pidió especialmente que me saliera temprano, porque esa noche llegaba mi papá de viaje y teníamos que esperarlo en la casa. Mi mamá vivía pendiente de esas cosas. De tenerle la comida. De que su familia estuviera esperándolo cuando él llegara. Yo le hacía caso, una niña buena. Y esa noche, cuando llegué, me encontré a mi mamá esperando en la cocina. Todas las luces de la casa apagadas, menos la de la estufa. ¿Sabe cuál? La lucecita amarilla del extractor de olores, que estaba prendido aunque no hubiera nada cocinándose. Y mi mamá ahí, sentada junto al mesón, comiendo chicharrones fritos de un paquete. Esto nunca se me va a olvidar: los chicharrones fritos, chicharrones de paquete. Me dijo que no había llegado. A las seis de la mañana cruzamos la ciudad, nos metimos al parqueadero del aeropuerto. Él siempre dejaba el carro en el aeropuerto: sus viajes duraban dos días, nunca más que eso. Entramos al parqueadero y estuvimos dando vueltas un buen rato, hasta que lo encontramos. Ahí estaba el carro de mi papá. Me asomé por la ventana para ver qué había adentro. No sé qué esperaba encontrar, pero me asomé. Los vidrios estaban sucios, porque había llovido. ¿Y sabe lo que vi, señor Mallarino?» Él se aferró a una barra invisible; esperó una revelación aterradora o macabra. «No vi nada», dijo Samanta. «Ahí adentro no había nada. Ni un llavero, ni un papel de peaje, ni unas monedas sueltas. Las ventanas sucias y el carro, por dentro, limpio. Limpio como si lo fueran a vender esa tarde. Yo creo que mi mamá sabía en el fondo. No me pareció que estuviera preocupada: me pareció que en el fondo sabía que mi papá se había ido… Y lo raro es que nada de esto ha sido nunca un problema para mí, señor Mallarino. Lo que pasó en mi familia ha pasado en cientos de familias, en miles. Para mí nunca ha sido un problema. Pero anoche comencé a preguntarme cosas estúpidas. ¿Qué tiene que ver el abandono de mi papá con lo de esa noche? ¿Hay alguna relación? No, qué relación va a haber, yo no la veo. ¿Pero la hay, aunque yo no la vea?» Mallarino la vio pegar la mandíbula al pecho, apretar los ojos. «Yo lo que quiero es saber qué pasó aquí», dijo enseguida Samanta. Su voz, mojada y densa, tuvo una suerte de urgencia en el aire enrarecido del interior del carro. «Aquí», dijo Samanta. Empezó a llorar de nuevo, pero su llanto fue más franco esta vez; distorsionaba sus facciones, les robaba la belleza. Samanta se daba palmadas en el vientre y su boca, el gesto de su boca, se ensanchaba. «Qué pasó aquí», decía, «quiero saber qué pasó aquí». Mallarino fijó la mirada en esas manos sobrias; las interrogó, interrogó los golpeteos sobre el cuerpo; Mallarino no entendía. Allí, estacionados frente al edificio, Samanta hizo una mueca de impaciencia y su boca pareció soltar una bola de aire.

Fue un movimiento rápido: subió ambos pies al tablero y levantó las caderas y se bajó las medias de lana verde y los calzones de un blanco suave con un solo envión diestro, metiendo los pulgares bajo el elástico, bajo los dos elásticos juntos, y empujando hacia adelante, no en línea recta sino dibujando en el aire una curva como un cuenco, como una sonrisa. El desorden de ropas arrugadas quedó alrededor de sus tobillos como un animal de compañía, y en un breve instante Mallarino vio las pantorrillas consteladas de puntos rojos y un óvalo violeta en el muslo, donde quizás hubo un golpe. Samanta separó las rodillas y abrió las piernas y la luz entera del mundo invadió el campero e iluminó el sexo pálido, los vellos lacios y rubios y escasos, la vulva insolente. La mano de Samanta se cerraba sobre la vulva, se apartaba, volvía a cerrarse con dedos rectos sobre la piel diáfana de los labios: «Aquí», decía Samanta, «yo quiero saber qué pasó aquí. ¿Esto fue lo que usted vio, señor Mallarino? ¿Fue esto lo que vio hace veintiocho años? ¿Ha cambiado mucho o se le parece?» Mallarino levantó la cara y encontró, en una ventana del edificio de ladrillo, la silueta de un curioso que corría el velo de su cortina para ver mejor. No, no era un curioso, no era un mirón: era una mujer de edad, y Mallarino alcanzó a ver su bata de estar y su mueca de repulsión antes de que se escondiera tras las delicadas sombras blancas del velo. Trató de girarse; lo interrumpió su cinturón de seguridad; Mallarino lo desabrochó y volvió a girarse y buscó, en el puesto trasero, la gabardina. La encontró en el suelo (se habría debido resbalar durante el trayecto montañoso) y la agarró con una mano y se la echó encima a Samanta, al principio con ademanes irritados, luego como si cobijara a una niña resfriada. «Aquí, aquí, aquí», decía ella, y se tapaba la cara con las manos. Mallarino, sin saber por qué, comenzó a tutearla. «Vístete», le dijo. «Todo va a estar bien.»

Ella se enderezó, pegó las rodillas al pecho, se abrazó las piernas. «Yo no pedí esto», se le oyó decir. «Yo estaba tan tranquila.» Mallarino leyó la vergüenza en su voz, y el cansancio, y la amargura, y la terrible vulnerabilidad.

«Todo va a estar bien», le dijo. Le acarició el pelo. La deseó, y se detestó por desearla. Buscó la portería con la mirada para ver si el portero se había percatado de algo. Sobre el tronco gris del árbol alguien había trazado, a golpes de navaja, dos nombres y un corazón. PAHY, leyó, antes de comprender que aquello no era una hache, sino dos tes atravesadas con la misma barra horizontal.

«Vístete», le dijo a Samanta. «Sube a tu casa, duerme un rato. Nos vemos a las tres.»

A Magdalena se le había ocurrido que almorzar allí, a pocos pasos de los dibujos de Matisse o de Giacometti o de Gustav Klimt, le haría ilusión a Mallarino: a juzgar por su reputación de anacoreta, de viejo-sabio-escondido-en-la-montaña, él ya no frecuentaba el barrio de La Candelaria tanto como lo había hecho en otros tiempos, mucho menos este museo que todavía hoy, a diez años de su apertura, conservaba el lustro de las cosas recientes. Magdalena había llamado en la mañana y reservado una mesa de terraza en el restaurante del patio interior, pero ahora se arrepentía; tras la lluvia, el cielo bogotano se había abierto como si un telón se hubiera desprendido, y ahora la luz del mediodía refulgía en las altas paredes blancas del patio, en las mesas de aluminio, en los individuales de papel, y cegaba a los comensales. Habían llegado caminando por la carrera Quinta, ella hablando del programa que había grabado la tarde anterior y Mallarino quejándose de los olores sucios: las frituras hechas en aceite usado pero también los perros callejeros, las mantas de los vagabundos en las entradas de los edificios pero también la mierda, la mierda que aparecía por sorpresa en las esquinas y cuyo origen era mejor no imaginar. Aquel asalto a los sentidos contrastaba de manera violenta con el recuerdo, todavía reciente y vivo, de lo ocurrido con Samanta Leal. No había que hablar de eso. Había que mantenerlo al margen: allá, en otro mundo, en un mundo alterno de reglas incomprensibles. Al entrar por la puerta de la calle 11, al subir el alto escalón y rodear la mano de bronce oscuro, ya Mallarino había tomado la decisión de no hablar de todo lo visto y escuchado desde la última vez que estuvo con Magdalena, todavía en la casa de la montaña. Un día había pasado, poco más de un día; habían pasado siglos y siglos. Ahora el sol daba en las paredes blancas y los deslumbraba y el mesero había traído una botella de vino blanco, pero el vino blanco no era blanco, sino dorado: el vino es luz aglutinada por la humedad. ¿Dónde había oído eso antes? Tal vez Magdalena se acordaría, se le daban bien estas cosas. Ahora ella servía el vino, y lo hacía con gusto; el pelo corto le convenía a su rostro de huesos fuertes, a sus pómulos de pintura prerrafaelita, a la nariz que bajaba desde las cejas en una línea larga y elegante. Tratando todo el tiempo de mantener arrinconadas las imágenes estorbosas, las entrometidas palabras, pensó en Samanta Leal. Si no la mencionaba, si no mencionaba las últimas horas ni tampoco la cita de las tres de la tarde, tal vez estos instantes en compañía de Magdalena podrían convertirse en un necesario y urgente momento de quietud. Que el mundo dejara de dar vueltas: sólo pedía eso. Que dejara de girar, que todo se callara. Sí, que se hiciera un poco de silencio y sólo se oyera esta voz que ahora le hablaba, la voz ronca y todavía tersa, la voz de chelo, una de esas voces que paralizan la mano de quien hace girar el dial, que traducen el caos del mundo y convierten su jerga oscura en un lenguaje diáfano. Interpreta este mundo para mí, Magdalena, dime qué nos pasó y qué puede pasar ahora, qué podrá pasarme ahora y qué podrá pasarle a Samanta Leal, dime cómo nos acordamos de lo que se oculta en el pasado, dime cómo recordar lo que todavía no ha sucedido. Y de repente ahí estaba de nuevo la frasecita que lo había acompañado en estos días como una hilacha de carne entre los dientes.

«Es muy pobre la memoria que sólo funciona hacia atrás», recitó Mallarino. «¿Quién lo dijo?»

Magdalena masticó una, dos veces.

«La Reina Blanca se lo dice a Alicia», dijo: la boca medio llena, la sonrisa en los ojos vivos. «A Beatriz le encantaba ese libro, no sé cuántas veces se lo leímos.»

Pero Beatriz no estaba aquí. Beatriz estaba de viaje, Beatriz siempre estaba de viaje, Beatriz no se detenía nunca, quizás por miedo de no ser después capaz de despegar de nuevo. La Reina Blanca se lo decía a Alicia. A Beatriz le encantaba ese libro. Sí, también él se lo había leído alguna vez, o por lo menos algunas páginas, y recordaba haberla visto —en una hamaca, en tierra caliente— leyéndolo por su cuenta cuando tuvo edad para hacerlo. La imagen de su hija leyendo siempre lo conmovió, quizá porque veía en su cara los mismos signos de intensa concentración que conocía ya en la cara de Magdalena, la misma disposición de los músculos del entrecejo y de los labios, y no podía no preguntarse qué propósito tenía la herencia de estos rasgos, a qué último fin evolutivo servía que las hijas hicieran los mismos gestos que sus madres cuando un relato les interesaba. A Beatriz le encantaba ese libro: Magdalena se había acordado: Magdalena siempre se acordaba. «¿Has sabido algo de ella?», preguntó Mallarino.

«Sí. Me escribió hace un par de días. Una noticia buena y una mala.»

«A ver», dijo Mallarino. «La mala primero.»

«Se está separando.»

«Esa es la buena.»

«No te burles», dijo Magdalena. «La está pasando muy mal, pobre. Tú agradece que no tienen hijos.»

«Agradezco», dijo Mallarino. «Y cuál es la buena, entonces.»

«Que se viene a vivir a Colombia.»

«Pero si ya vive en Colombia.»

«Está bien. Se viene a quedar quieta en Colombia.»

«¿Qué quiere decir eso?»

«Que pidió un traslado. No sé cómo se llame, no me lo explicó bien. Pidió no moverse más. Pidió quedarse aquí.»

«¿En Bogotá?»

«No, no. En un lugar donde la necesiten, Javier. En el Meta. En el Cesar.»

«¿No se sabe?»

«No se sabe todavía. Se sabe que se lo conceden, pero no se sabe adónde la mandan. No va a estar en Bogotá, eso sí es seguro. Pero la vamos a ver más.»

«¿Por qué sabes?»

«Porque ella me lo dijo. Me dijo que la íbamos a ver más. Me dijo: "Nos vamos a ver más". Me dijo que se sentía sola, que llevaba meses sintiéndose sola. Y también te lo hubiera dicho a ti, si tuvieras un computador.»

Pero Mallarino se dio cuenta de que no era un reproche serio: era un juego, un guiño amistoso, un golpe de codo en las costillas. Su instinto infalible le decía a Magdalena que no era momento para reproches serios. ¿Qué habría notado? ¿*En qué* lo habría notado? Ah, pero así era Magdalena: una lectora excelsa de la realidad, y en especial de esa realidad circunscrita y empobrecida, esa realidad melancólica y amilanada que era Mallarino. «Bueno, pues la acompañamos» dijo él. «Aquí no va a estar sola.» El marido de Beatriz era el hijo más joven de una familia de terratenientes de Popayán, católica y conservadora, cuya reputación, por lo que sabía Mallarino, había estado en el lado equivocado de la cancha desde los años de la Violencia. «Yo sé más o menos cómo es esa familia», le había dicho una vez Mallarino, «y no sé si me gusta mucho que estés saliendo con él». «Pues su familia sabe exactamente quién eres tú», contestó Beatriz. «Y no les gusta nada que él esté saliendo conmigo.» Y ahora, pocos años después de esa conversación y muchos después de la separación de sus propios padres, Beatriz se separaba de su marido. Juan Felipe Velasco, se llamaba: un rubio de mentón partido que siempre se persignaba antes de un viaje por carretera. Beatriz había aprendido a persignarse con él, y les habría enseñado a persignarse a sus hijos de haberlos tenido; pero no los habían tenido, y eso era afortunado; y ahora se estaban separando, desgastados también ellos por las diversas estrategias de que disponía la vida para desgastar a los amantes, por los demasiados viajes o la demasiada presencia, por el peso acumulado de las mentiras o las torpezas o las indelicadezas o los errores, las cosas dichas a destiempo y con palabras inmoderadas o inconvenientes o las que, quizás por no encontrar las palabras convenientes o moderadas, nunca se dijeron, o desgastados también por la mala memoria, sí, por la incapacidad para recordar lo esencial y vivir en ello (para recordar lo que una vez hizo feliz al otro: cuántos amantes han sucumbido a ese olvido negligente), y por la incapacidad, también, de adelantarse a todo aquello que tanto desgasta y deteriora, adelantarse a las mentiras, a las torpezas, a las indelicadezas, a los errores, a las cosas que no debían decirse y a los silencios que debían evitarse: ver todo aquello, verlo venir en la distancia, verlo venir y hacerse a un lado y sentir el soplo de su paso como un meteorito rozando el planeta. Verlo venir, pensó Mallarino, y hacerse a un lado. Para una tribu indígena de Paraguay, o quizás era de Bolivia, el pasado es lo que está delante de nosotros, porque podemos verlo y conocerlo, y el futuro, en cambio, es lo que está detrás: lo que no vemos ni podemos conocer. El meteorito siempre viene por la espalda, no lo vemos, no podemos verlo. Hay que verlo, verlo venir y hacerse a un lado. Hay que ponerse de cara al futuro. Es muy pobre la memoria que sólo funciona hacia atrás.

Miró a su alrededor, más allá del rostro luminoso de Magdalena, y a su izquierda, más allá del vidrio que separaba la terraza del interior, y a su derecha, a través del patio, hacia la entrada del museo. Dos, tres, cuatro parejas: ¿cuántas se estarían separando ahora mismo? ¿Cuántas se estarían separando aunque no lo supieran, encaminándose lentamente a la corrosión? En el patio, un niño de pantalones cortos corría detrás de una minúscula pelota saltarina. La pelota se iba a los desagües; el niño gritaba, pedía ayuda. ¿Y Samanta Leal? No le había preguntado si estaba casada, si tenía hijos, alguien con quien compartir el sufrimiento o por lo menos diseminarlo. Tenía la misma edad de Beatriz, los mismos treinta y cinco años que para tantas cosas les habían alcanzado. Eso estaba pensando Mallarino cuando uno de los clientes vecinos, un hombre que había estado comiendo del otro lado del vidrio, lo miró a los ojos y se levantó (las manos doblaron la servilleta) y comenzó a caminar hacia la puerta abierta. Esperó a estar junto a la mesa para hablar; cuando lo hizo, a Mallarino le pareció chocante el contraste entre su tamaño —y el tamaño de la mano que le alargaba para saludarlo— y su actitud obsecuente. «Usted es Javier Mallarino», le dijo, a medio camino entre la afirmación y la consulta.

Magdalena levantó la cara. El tenedor quedó suspendido en el aire. Mallarino asintió. Estrechó la mano que se le ofrecía.

«Gracias por su trabajo», dijo el hombre. «Yo a usted lo admiro, señor. Lo admiro, eh, mucho.»

«Cómo ha cambiado el mundo», dijo Magdalena cuando el hombre hubo regresado a su silla, del otro lado del vidrio. La escena, visiblemente, la había divertido: hablaba con ironía, pero también con una satisfacción notoria en las comisuras de sus labios, ahí donde se formaba esa sonrisa irónica. «Esto sí que no me había tocado. ¿Hace cuánto te pasan estas cosas?»

«Me pasan desde hoy», dijo Mallarino. «O desde ayer. Lo que pasa es que ayer no vine a Bogotá.»

«Será que la gente todavía lee periódicos.»

«Supongo que sí.»

«Podrías hacerles tu pose *Titanic*», dijo Magdalena. «Darles gusto a los fans.»

Mallarino sonrió, miró el plato. «A mamarle gallo a otro», le dijo.

Se acomodó en su silla, girándose hacia un lado y apoyando la espalda en el aluminio frío, como si quisiera mejorar un poco su perspectiva del lugar. Magdalena le preguntó entonces si lo estaba molestando la hernia, si quería que pagaran ya y se fueran a caminar un rato, y sólo entonces se dio cuenta él de que sí, la hernia lo estaba molestando (un dolor sordo en el coxis, la pierna izquierda ya incómoda). Magdalena sabía. Qué grato era esto, y qué sorprendente percatarse de la persistencia del pasado, la terca presencia entre ellos de los años de su matrimonio. Se conocían bien, pero no era sólo eso: era, sin duda, el haberse encontrado tan jóvenes, el haber comenzado a vivir juntos y pasado juntos por las primeras derrotas y luego por la larga marcha del aprendizaje (y ahora ya habían aprendido, pero era demasiado tarde para aplicar las lecciones). Todo aquello seguía presente, un invitado más en la mesa, y a eso se debía sin duda la comodidad, la manera relajada en que Magdalena ponía sus cubiertos juntos sobre el plato vacío y, tal como él lo había hecho antes, se recostaba en silencio en el espaldar de aluminio. ¿Por qué habría fracasado su segundo matrimonio? Nueve años después de separarse de Mallarino, Magdalena se había casado con un pacífico abogado comercialista, y cualquiera hubiera podido pensar —las segundas oportunidades se aprovechan mejor— que la relación era la definitiva. No fue así: Mallarino se enteró de las generalidades por rumores y, una vez, por el «Teléfono rosa», la sección de chismes de *El Tiempo*, que también traía un rumor sobre la posible entrega de Pablo Escobar. (En una caricatura de esa época, Mallarino pintó a Escobar junto a las víctimas de su más reciente atentado terrorista. En un lado del recuadro se asomaba el sacerdote Rafael García Herreros, vestido de sotana, y le decía: «Tranquilo, mijito. Yo sé que tú eres bueno de todas formas».) El matrimonio de Magdalena se acabó en dieciocho meses; Mallarino nunca quiso averiguar por qué. Ahora podía hacerlo. ¿Quería hacerlo? Ahora podía hacerlo. Una nube pesada ensombreció el patio; Mallarino sintió una corriente de aire frío y la piel de sus brazos se cerró de golpe. Magdalena apretó los puños sobre el pecho y alzó los hombros, y Mallarino tuvo la inequívoca sensación, concreta como un tirón en las vértebras, de que se le hacía tarde. Eso se dijo, *Se me hace tarde*, o más bien esas palabras se iluminaron en su mente. Enseguida se percató, no sin cierto estupor, de que no estaba pensando en las horas del día.

«Ven a vivir conmigo», dijo.

Ella se puso de pie como si hubiera estado esperando la propuesta (no había sorpresa en su cara, o es que Mallarino la estaba leyendo mal). Niña ordenada, empujó la silla para ponerla debajo de la mesa, y las patas contra el suelo de cemento soltaron un irritante rasguño metálico.

«Salgamos», repuso. «Tengo que volver al estudio.»

Por el corredor llegaron al patio principal. Lo cruzaron pasando junto a la fuente de piedra que escupía, distraídamente, un chorrito escuálido. Mallarino alcanzó a echar un vistazo a la rubia de Lucian Freud, que tanto le gustaba, pero de inmediato desvió la mirada, no fuera a ser que se encontrara sin querer con el estudio para *La lección de guitarra*. Cuando salieron a la calle 11, el cielo se había nublado y se habían ido las sombras de las paredes, y los corrillos de estudiantes se agolpaban sobre las escaleras de la biblioteca. Bajaron a la Séptima y se dirigieron al norte. Magdalena había tomado del brazo a Mallarino. «¿Qué opinas?», dijo él. «¿No es una buena idea?» No era fácil caminar por aquella acera populosa cuyo tráfico los obligaba a adelgazarse, a ponerse de perfil para que otro transeúnte pasara con su portafolios, o su bolsa de vegetales que se asoman, o su niño arrastrado de la mano y caminando en esforzadas puntas de pie. «Tenía la esperanza, querido mío», dijo Magdalena, «de que no se te ocurriera». Iban pasando frente a las placas de mármol del edificio Agustín Nieto, y Mallarino se estaba fijando en un tipo de largo pelo blanco que copiaba las leyendas, a mano, en las hojas de un cuaderno o de algo que parecía un cuaderno; el tipo resultaba visible aun desde el otro lado de la calle, pues allí, en medio de la azarosa multitud de caminantes, la suya era la única figura que permanecía inmóvil. «Yo no puedo hacer eso, Javier», dijo Magdalena. «Ya no lo puedo hacer. Mucho tiempo ha pasado, y yo tengo una vida sin ti, y es una vida que me gusta. Me gustó también la otra noche, claro, me gustó mucho. Pero me gusta mi vida así como está. Me ha costado años armarla, y me gusta así como está. Me gusta la soledad, Javier. A estas alturas de la vida he descubierto que me gusta mi soledad. Beatriz no lo ha descubierto todavía, pero creo que yo puedo enseñarle. Sería un buen regalo, enseñarle a mi hija a estar sola, a que le guste su soledad. A mí me gusta mi soledad. Se puede entender, me parece. Creo que se puede entender, ¿no? Creo que ya es tarde.» No sorprendió a Mallarino que usara esas palabras, casi las mismas que había usado él minutos antes. «Nunca es tarde en realidad, claro que no, eso depende de uno. Pero esto que me propones no es para mí, no es para nosotros», dijo Magdalena. «Ya no tenemos tiempo para esto.» Del otro lado de la avenida Jiménez, al acabarse la opresiva pared sin ventanas del edificio del Banco, comenzaba el Parque Santander. Más tarde, recordando este momento, Mallarino se preguntaría si fue entonces cuando pensó en el día de la muerte de Ricardo Rendón. Es posible, se diría después, que en ese momento no haya sido consciente de ello, pues su atención estaba puesta en el peso agradable en su brazo del brazo de Magdalena, en el olor de su pelo, en la voz capaz de decir, con esa impredecible dulzura, esas cosas que entraban como un aguijón: «Tenía la esperanza de que no se te ocurriera», por ejemplo, o también esa otra: «Ya no tenemos tiempo para esto». Pero tuvo que ser entonces, pensaría, porque fue justo después de pronunciadas esas palabras, allí donde se ven las sombrillas de los emboladores, que se detuvo en medio de la acera y, sin que lo maravillara el prodigio, recordó una vez más esos hechos que conocía de memoria aunque nunca los hubiera presenciado.

Recordó la película de Chaplin que Rendón fue a ver la víspera, y también la depresión profunda pero discreta que lo agobiaba por esos días, y también la conversación con el gerente de *El Tiempo* y el propósito, sugerido en ella, de irse a descansar a una clínica. Todo eso lo recordó Mallarino, y también los dibujos en lápiz azul que Rendón dejó en la redacción del periódico, junto a los dos tomos de sus caricaturas recién publicadas, y en su recuerdo Rendón salió de la redacción pasadas las diez de la noche y entró en La Gran Vía, y escuchó música y tomó aguardiente y bromeó con el dueño, y llegó a su casa de la calle 18 antes de la medianoche, triste pero no borracho y en todo caso cansado. Mallarino lo recordó planeando, insomne, la caricatura del día siguiente; también despertando y hablando con su madre de lo que había planeado. Rendón salió, vestido como siempre de luto completo, y Mallarino lo recordó parándose unos instantes en la esquina de la carrera Séptima y luego entrando en La Gran Vía. En su recuerdo, Rendón pide una cerveza Germania; la recibe en un charol; enciende un cigarrillo. Piensa en Clarisa, la jovencita de la que se había enamorado en Medellín, tantos años atrás, y revive el disgusto y la protesta de los padres de la joven; piensa en Clarisa y en su terquedad heroica, su embarazo, su enclaustramiento forzoso, su enfermedad y su muerte. Termina su cerveza, saca su lápiz y hace el último dibujo (un diagrama de líneas rectas que calculaba el recorrido de una bala al penetrar el cráneo), y escribe en la bandeja esas siete palabras que Mallarino bien recordaba, *Suplico que no me lleven a casa*, y luego se lleva a la sien derecha el cañón de una pistola Colt 25. Mallarino lo recordó haciendo lo que nadie vio nunca: disparándose un tiro. Recordó la cabeza que cae pesada sobre la mesa y hace saltar la bandeja con un estrépito metálico, los labios que se revientan con el golpe y el daño que sufre un diente, la sangre que empieza a derramarse (la sangre que se ve negra sobre la madera vieja), y luego lo recordó llegando a la clínica del doctor Manuel Vicente Peña, y recordó al doctor redactando su informe, escogiendo esas palabras que Mallarino vio como si las viera en negro sobre blanco: *respiración estertorosa, hematoma subcutáneo, hemorragia en boca, parietal derecho.* Los médicos trepanan el cráneo para aliviar la presión de la sangre y un potente escupitajo viscoso cae al suelo blanco. Mallarino lo recordó y recordó la hora exacta de la muerte, seis y veinte de la tarde. Todo eso lo recordó, y oyó a Magdalena decir: «Ya no tenemos tiempo para esto».

Mallarino comprendió que era inútil insistir, o que la propuesta había sido un error. Comprendió, también, otras cosas, pero estas cosas estaban más allá de las palabras inmediatas, en un terreno de intuición parecida a la intuición de la fe. Se sintió cansado, un cansancio repentino y traicionero, un niño que se cuelga por sorpresa de los hombros. Un movimiento los distrajo entonces: era un hombre que se acercaba a pasos lentos, el cuerpo inclinado hacia delante como buscando una moneda, y Mallarino recordó sus rasgos antes de que les hablara: la nariz, las orejas, el bigote gris como la mierda de las palomas. El hombre le alargó la mano y Mallarino vio las manchas de betún y la piel seca, y su mano se cerró sobre la mano del hombre. La mano del hombre era firme y sólida. Mallarino también apretó con fuerza.

«Sumercé es el caricaturista», dijo el hombre. «Yo lo embolé el otro día y ni siquiera lo reconocí, qué pena con usted.»

Mallarino estiró el brazo izquierdo y su reloj apareció bajo la manga de la chaqueta. (Tenía muñecas delgadas —Magdalena siempre le había dicho que tenía muñecas de mujer—, y cuando hacía frío la correa del reloj le quedaba suelta, a veces llegando a girarse por completo, todo ello para gran diversión de Magdalena, que le decía que así, precisamente, usaban los relojes las mujeres de antes.) La carátula se desplazó levemente y fue a descansar sobre esa ligera prominencia al final del cúbito, la media esfera ósea que alguna gente se toca cuando está preocupada. Mallarino tomó la cara del reloj entre el pulgar y el índice. Miró la hora. Le pareció que tenía tiempo.

«¿Está libre?», le preguntó al embolador.

«Claro que sí, doctor, faltaba más», dijo el hombre. «La pena que me da no haberlo reconocido el otro día. Imagínese, doctor: una persona como usted.»

Pasadas las tres, después de despedirse de Magdalena en la explanada de la universidad con un beso en la boca y pensar que quizás sería el último, después de recuperar su campero en el parqueadero de la calle 25 y dirigirse al norte por la vía de arriba y bajar por la estrecha carretera que atraviesa el Parque Nacional —una carretera breve pero traicionera y sinuosa donde uno no quiere que lo sorprenda la noche—, después de dejar el carro en la suerte de medialuna que constituye el centro mismo del parque, Mallarino llegó caminando a la pileta de piedra del monumento a Uribe Uribe, y desde los bordes trató de identificar la agencia de viajes. Según la dirección, el local debía de estar muy cerca: debía de ser visible para cualquiera que lo buscara desde allí. A Mallarino le ardían los ojos como le habían ardido siempre que venía al centro desde su refugio de la montaña; ahora, aunque ya hubiera salido del centro, la contaminación seguía en sus lagrimales, y los ojos le seguían ardiendo. La tarde estaba nublada pero ya no llovería; no había sombras en las aceras, pero el aire abierto del parque era cálido y suave. También lo sentían así los habitantes del parque, los vendedores de cometas, los niños que vigilaban los carros parqueados o corrían alrededor de la pileta, las parejas de jóvenes sentados en el prado. Mallarino sintió que lo miraban mientras él miraba hacia el otro lado de la ancha avenida, buscando la agencia de la viuda de Cuéllar. Encontró el letrero de plástico rígido, grande y blanco, la palabra *Viajes* en cursivas pequeñas, la palabra *Unicornio* en versalitas grandes e imponentes; imaginó el letrero encendido al comienzo de la noche, iluminando con su luz toda la acera. Debajo del extremo derecho, frente a la vitrina pero lejos de la puerta de entrada, estaba Samanta Leal.

Lo esperaba. Su cuerpo tenía el meditado descuido de los cuerpos que esperan: todo el que espera sabe o cree que puede ser visto en cualquier momento, visto por el que llega a la cita, y sus gestos, sus ademanes, la posición de sus piernas y la rectitud de su espalda no son nunca los que serían si no esperara. Mallarino reconoció la línea de los hombros y el pelo, recortado sobre la espalda como una lámina de cobre, y reconoció la cartera, que era la misma de la que habían salido, el día anterior, la grabadora mentirosa, la libreta y la pluma. Se había, efectivamente, cambiado de ropa: la blusa blanca de la mañana era un suéter de color azul turquesa que en la distancia parecía delgado, y la falda y las medias ahora eran unos pantalones que daban a sus caderas un aire asentado, un aire de mujer madura. Mallarino caminó hasta el semáforo y esperó a que el tráfico se detuviera. Los carros y los buses y las busetas y los camiones circulaban en ambos sentidos, caras que pasaban frente a la cara de Mallarino como proyecciones en una pantalla, caras que existían en su vida durante un segundo fugaz y luego se volvían a hundir en la inexistencia. Algunas caras lo miraban con expresión vacía y luego pasaban a la cara siguiente, la de otro peatón cualquiera parado en la acera poblada, otra cara vacía para mirarla con la misma vacuidad; otras ni siquiera reconocían su presencia, sino que se quedaban más allá o más acá, en las montañas, en los edificios, en una porción inhabitada del mundo visible. A veces la gente quería descansar de la gente. Hubo un tiempo en que a él le gustaba rodearse de personas. Ya no: eso lo había perdido. Era una de las muchas cosas que se había tragado esta vida suya. ¡Si tan sólo supiéramos el diez por ciento, el uno por ciento de las historias que suceden en Bogotá! ¡Si pudiera Mallarino cerrar los ojos y escuchar lo que pensaban quienes lo rodeaban en ese momento! Pero no era posible; y así seguíamos todos, caminando por las aceras, parando en los semáforos, rodeados de gente pero siempre sordos.

Allí, metido en la pequeña muchedumbre que iba a cruzar la calle, pensó en lo que estaba a punto de suceder. Tal vez Rodrigo Valencia tenía razón y todo esto era un error, un error lamentable, el peor que Mallarino podría cometer en la vida. Tal vez su predicción era correcta: si seguía adelante con sus intenciones, si acompañaba a Samanta al interior de la agencia y hablaba con la viuda de Cuéllar o escuchaba hablar a Samanta, se encontraría al salir de nuevo con un mundo transformado: un mundo (un país, y en el país, una ciudad, y en la ciudad, un periódico) en donde Mallarino ya no sería el que era ahora. Después de esa conversación, fuera cual fuese su contenido, se dijera en ella lo que se dijese, el ejército de sus enemigos le caería encima sin piedad. Chacales, eran todos chacales que se habían pasado la vida esperando una declaración de vulnerabilidad semejante. Porque se enterarían, por supuesto que se enterarían: fuera cual fuese el contenido de la conversación y se dijera lo que se dijese en ella. No importaba qué revelaciones hubiera en la oficina de la viuda de Cuéllar, y ni siquiera importaba que no hubiera revelación alguna, que la mujer los despidiera entre gritos y golpes sin decirles nada nuevo, o que se negara a hablar, que ejerciera la terrible venganza del silencio: el silencio que a Samanta le dolería tanto, que para ella sería la peor afrenta, la humillación más dolorosa. Todo esto era, en alguna medida, una humillación para Samanta; pero pasar por el desasosiego y el atrevimiento y el recuerdo afrentoso para toparse con el silencio sería la peor humillación de todas.

Y aun si fuera así, los chacales se enterarían y se lanzarían al ataque. Lo importante para ellos, pensó Mallarino, no sería lo ocurrido en el pasado, sino la incertidumbre presente del caricaturista y lo que esa incertidumbre revelaba. También a él lo humillarían, y les bastaría con eso para humillarlo: les bastaría la pregunta, la pregunta sencilla que acaso ya estaría formada en la boca de Samanta, que acaso Samanta llevara todo el día practicando, escogiendo las palabras y la entonación para pronunciarla, escogiendo incluso la expresión de la cara para no parecer más inerme de lo necesario. Escogiendo la ropa, pensó Mallarino, sí, seguramente Samanta había escogido hasta la ropa pensando en la pregunta que le iba a hacer a la mujer de un congresista muerto. Para ella el resultado podía ser variado, una posibilidad entre muchas o por lo menos entre dos; no así para él, pues, sin importar lo que ocurriera en la agencia Viajes Unicornio, Mallarino se encontraría al salir con sus enemigos de cuarenta años señalándolo, azuzando a una turba enloquecida y dispuesta a juzgarlo en juicio sumario y a quemarlo en la hoguera, la hoguera de la cambiante, la caprichosa opinión pública. Mallarino calumniador o simplemente irresponsable, Mallarino destructor de la vida de un hombre o simplemente abusador impune del poder mediático. Ahora comprendía mejor lo que había sucedido veintiocho años antes, cuando se dio el gusto de humillar al congresista Adolfo Cuéllar; comprendía el fervor con que el público había recibido la humillación, ese fervor disfrazado de indignación o de condena. Él simplemente había puesto en marcha el mecanismo, sí, él había encendido el fuego y luego se había calentado las manos... Y ahora le tocaba el turno. No importaba quién tuviera la razón de su lado. No importaban la justicia o la injusticia. Sólo una cosa le gustaba al público más que la humillación, y era la humillación de quien ha humillado. Esta tarde Mallarino llegaba a darles ese placer. Lo que dijera la mujer del muerto no marcaría ninguna diferencia: si decidía entrar en Viajes Unicornio, Mallarino dejaría de ser la autoridad moral que era en este momento para convertirse en un barato mercader de rumores, un francotirador de las reputaciones ajenas. Alguien así no puede andar suelto. Alguien así es peligroso.

Y ahora el semáforo se ponía en rojo y el tráfico se detenía y Mallarino podía cruzar la calle, cortar con su cuerpo ese calor pesado que se forma como una nube frente a una línea de carros en un semáforo bogotano. «¡Samanta!», gritó desde la esquina como un niño impaciente. Pero es que estaba a cincuenta pasos de ella, a cincuenta pasos de Viajes Unicornio y de la puerta que cambiaría su vida, y no se le podía pedir paciencia, no se le podía pedir que esperara a recorrer aquella distancia para declarar su presencia ante Samanta Leal. «¡Samanta!», gritó. Ella irguió la cabeza y se giró en el sentido del grito y lo vio; levantó una mano tímida pero contenta, la sacudió en el aire al principio lentamente y luego con entusiasmo, y algo se iluminó en su cara; y Mallarino pensó que ni siquiera dos días antes —la noche de la ceremonia, en el bar del Teatro Colón, con un pedazo de plástico enredado en su lengua de niña— la había visto tan bella. ¿Y si pudiera volver a la noche de la ceremonia, a la gloria de los discursos y las medallas y las palmadas en la espalda? Si pudiera hacerlo, ¿lo haría? No lo haría, pensó Mallarino, y se sorprendió al pensarlo. Otra vez aparecieron en su mente las palabras de Rodrigo Valencia, aquellas palabras impertinentes: *¿De qué sirve?* ¿De qué servía arruinar la vida de un hombre, aunque el hombre mereciera la ruina? ¿De qué servía ese poder si nada más cambiaba, salvo la ruina de ese hombre? Cuarenta años: todo el mundo lo había felicitado en las últimas horas, y hasta este momento no se había dado cuenta Mallarino de que su longevidad no era una virtud, sino un insulto: cuarenta años, y a su alrededor no había cambiado nada. *Suplico que no me lleven a casa*: Mallarino se asomó a la frase como se asoma uno a un charco de agua oscura, y le pareció ver algo brillante en el fondo. De nuevo pensó en el homenaje; pensó en la estampilla, en su propia cara mirándolo desde el marco con su dentadura feroz. Todo aquello le quedaba lejos ahora, muy lejos: aquí, en esta acera de la carrera Séptima y a esta hora de la tarde bogotana, todo aquello empezó a formar parte del recuerdo, y podía ser olvidado. ¿Lograría hacerlo Mallarino? La memoria tiene la capacidad maravillosa de acordarse del olvido, de su existencia y su acecho, y así nos permite mantenernos alerta cuando no queremos olvidar y olvidar cuando lo preferimos. Libertad, libertad del pasado, eso era lo que ahora deseaba más que nada Mallarino.

Ya no había nada que lo uniera al pasado. El presente era un peso y un estorbo, como la adicción a una droga. El futuro, en cambio, le pertenecía. Todo era cuestión de ver el futuro, de saber verlo con claridad y deshacernos por un instante de nuestra propensión al engaño, al engaño de los otros y de nosotros mismos, a las mil mentiras que nos decimos sobre lo que puede pasarnos. Es necesario mentirnos, claro, porque nadie puede soportar demasiada clarividencia: ¿cuántos quisieran conocer el día de su propia muerte, por ejemplo, o prever con anticipación la enfermedad o la desdicha? Pero ahora, llegando a encontrarse con Samanta, viéndola tan bella en su suéter turquesa, tan sólida sobre el fondo borroso de las vitrinas y sus reflejos, su boca entreabierta como cantando una canción secreta, Mallarino comprendió de repente que podía hacerlo: comprendió que, si bien no tenía ningún control sobre el móvil, el volátil pasado, podía recordar con toda claridad su propio futuro. ¿No era eso lo que hacía cada vez que dibujaba una caricatura? Imaginaba una escena, imaginaba a un personaje, le asignaba unos rasgos, redactaba en su mente un epigrama que fuera como un aguijón forrado de miel, y luego de hacer esto tenía que recordarlo para poderlo dibujar: nada de eso existía en el momento de sentarse frente a su mesa de trabajo, y sin embargo Mallarino era capaz de recordarlo, tenía que recordarlo para ponerlo en el papel. Sí, pensó Mallarino, la Reina Blanca tenía razón: es muy pobre la memoria que sólo funciona hacia atrás.

Y entonces, en un relámpago de lucidez, se recordó regresando esta noche a la casa de la montaña, subiendo a su estudio, sentándose en su silla de trabajo, y recordó perfectamente lo que hará. Echará una mirada a los recortes que cuelgan en la pared de corcho: el presidente colombiano, el libertador de Latinoamérica, el papa alemán. Encenderá la lámpara y sacará de los archivadores A3 un papel con marca de agua y con una plumilla escribirá la fecha de este día viernes, y debajo de la fecha el nombre de Rodrigo Valencia. *Por medio de la presente (así se dice, ¿no es verdad?, para que quede formal y bonito, a mí me gustan las cosas bien presentadas) quiero notificar a usted mi renuncia incondicional (es un poco dramático, ya sé, pero así es, qué le vamos a hacer) al periódico que usted, con tan buena fortuna, ha dirigido durante los últimos años (menos de los que llevo yo pintando monos, todo hay que decirlo). Tomo la decisión después de largas e intensas consultas con mi almohada y con otras autoridades, y me apresuro a subrayar que mi decisión, además de incondicional, es irrevocable, inapelable y todas esas palabras tan largas. Así que ni se gaste, hermano, que no saca nada con insistir.* Buscará en la cocina una bolsa de basura, negra y con cinta naranja, y a manotazos empezará a meter en ella los frascos de tinta, las cuchillas, el bote de lápices (el extremo recortado de un palo de agua) y con él los carboncillos, siete tipos distintos de minas, una espátula sin usar y un conjunto de plumas y pinceles, bien peinados como los miembros de un coro escolar, y todo irá a parar al fondo de la bolsa. Uno por uno, Mallarino sacará los cajones de su archivador y los vaciará en la bolsa, y le gustará el sonido del papel cayendo en cascadas al fondo, la estática producida por el roce con el plástico. Arrancará al libertador enjuto y al papa ojeroso, al presidente recién elegido y al guerrillero recién muerto, y los meterá en la bolsa. Dará dos pasos atrás, mirará los espacios vacíos que van quedando por donde pasa su mano, claros abriéndose en medio de la selva espesa. Bajará de la pared la leyenda del aguijón y la miel y la meterá en la bolsa. Bajará la caricatura de Daumier y la meterá en la bolsa.

Y luego hará lo mismo con todo lo demás.

Nota del autor

Las reputaciones es una obra de ficción; todo parecido con la realidad es una mera coincidencia. Tras cumplir con esta convención, que ningún lector debería tomarse completamente en serio, debo y quiero agradecer a quienes me dedicaron su tiempo y me procuraron anécdotas de su vida o ideas sobre su oficio, y en especial a Vladimir Flórez, *Vladdo*, y a Andrés Rábago, *El Roto*. Otros caricaturistas me prestaron, sin saberlo, datos más o menos concretos, y quiero reconocer también esa deuda —más indirecta y ambigua— con Antonio Caballero, Héctor Osuna y José María Pérez González, *Peridis*. Para escribir las líneas sobre la muerte de Ricardo Rendón, me fue de mucha utilidad el libro *5 en humor* de María Teresa Ronderos. Quiero y debo también reconocer la deuda impagable que tengo con Jorge Ruffinelli y Héctor Hoyos, de la Universidad de Stanford, por la invitación y la hospitalidad que me permitieron terminar esta novela en un apartamento de la calle Oak Creek, en Palo Alto, California. Por último, quiero darme una vez más el placer (y hacer constar la infinita fortuna) de terminar un libro escribiendo el nombre de Mariana.